前書き

カラーページにしたので写真を掲載する楽しみが増えた。白黒だと掲載する気がなかったがカラーだと掲載したくなる。特にアートハイクは白黒では掲載する気になれない。だから掲載しなかった。これからはアートハイクをどんどん掲載していくつもりだ。

新型コロナ問題にはイライラする。コロナや政府に対してではない。専門家、医師、マスメディアに対してである。専門家はクラスター潰しによる初期のコロナ対策に貢献しなかったし、今もしていない。医師はひたすら医療崩壊を訴えるだけである。マスメディアはひたすら菅政権批判に埋没している。国民に不安を与えて、世界の日本イメージを悪くするだけの連中である。世界は日本より韓国の評価が高い。それにはマスメディアの報道が左右していると思う。コロナ問題でつくづく感じた。

5月頃にはコロナ問題は落ち着くだろう。沖縄、韓国、中国問題を展開していこう。菅政権は徴用工問題で徹底して正論を貫いて韓国をねじ伏せ、正当な日韓関係を築いてほしい。

目次

JN063913

議会制民主主義国家日本を縁の下で支えているのはどんな国民か。それは保守か、それとも左翼か。保守でもなければ左翼でもない。それは政治に強い関心はないノンポリの国民である。いわゆる支持政党なしの国民こそが日本政治を左右している。ノンポリ国民は自民党を支持している。だから自民党政権が続いているのだ。

二大政党問題

議会制民主主義の日本は国会で過半数の議員を持つ政党が政権を握る。議員は選挙で選ばれる。国民の支持が多いのが自民党である。しかし、一番多い自民党でも支持者はわずか24％である。24％の支持票では過半数には達しない。支持票だけでは自民党は政権党になれない。

支持政党なしはなんと60％を超える。政権を左右するのは支持政党なしのノンポリの国民ということになる。自民党が国会の過半数を獲得して政権を握ってきた。ノンポリ国民の多くは自民党に投票してきたのである。民主党が圧勝した時はノンポリ国民は民主党を支持したが、政策がノンポリ国民の気に入るものではなかったから、次は自民党に投票して自民党が勝利した。

ノンポリ国民の第一は生活である。生活を豊かにしてくれそうな政党に投票する。生活を豊かにしてくれる政治を続ける政党であるなら次も投票し、そうでないなら別の政党に投票する。

議会制民主主義になった戦後75年間は支持政党なしの国民が国の政治を左右してきた。いわゆる戦後の政治はノンポリ国民が支えてきたと言っても過言ではない。

立憲民主党は野党が団結すれば自民党に勝てると思っているが、それでは勝てない。自民党に勝つにはノンポリ国民が望んでいることを研究し、自民党よりもノンポリ国民に支持される政策を打ち出さなければならない。野合では勝てない。

共産党と共闘するような政党をノンポリ国民の多数が支持するとは思えない。共産党と共闘することは政権党になれない保証を得ることになる。

１０月２７日

日本の議会制民主主義を侮辱する「菅首相ヒトラー独裁」論者を軽蔑する

戦後の日本は三権分立の議会制民主主義国家である。独裁国家になるのは不可能と言えるほど日本の議会制民主主義大勢は強固である。首相が独裁者になるのは不可能だ。一方日本学術会議は公選制を排除して独裁団体になっている。

学術会議が設立された時は会員は公選制によって民主的に選ばれていた。しかし、１９８４年に公選制から学会員による推薦制になった。会員になれる資格も学会幹部が決めるようになり、全ての学者が会員になれるものではなく、学会幹部が気に入らなければ会員になれない不平等なシステムになった。

２００１年には現会員の推薦で会員候補が決まるという、非民主・不平等の学術会議になった。学術会議そのものが公選制の議会制民主主義を侮辱する独裁主義会議になったのだ。

独裁主義日本学術会議が推薦した１０５人のうち６人を会員に任命しなかったことで菅首相はヒトラーような独裁者であると独裁学術会議を支持する連中が大騒ぎするようになった。

日本学術会議なんて政治的にはほとんど存在価値のない団体である。たった６人を任命しなかったからといって日本の政治に全然影響はない。６人を任命しなかったことで菅首相がヒトラーのような独裁者だと騒ぐのには笑うしかない。こういう連中は義務教育である中学校を出ていないか社会科の勉強を怠けたに違いない、と思いたいが菅首相を独裁者呼ばわりするのは学者、ジャーナリスト、芥川賞作家など高学歴の人たちである。ということは日本には独裁政治家が生まれない強固な議会制民主主義国家であることを知らない高学歴の人が多いということである。日本が議会制民主主義国家であることを認識できない愚かな高学歴者たちである。

会員に任命されなかった立命館大学大学院・松宮教授は、

「ナチスドイツのヒトラーでさえも全権を掌握するには、特別の法律を必要としましたが、菅総理大臣は現行憲法を読み替えて自分がヒトラーのような独裁者になろうとしているのか」と菅首相を非難している。１０５人のうちたったた６人が学術会議の会員に任命されなかっただけのことなのにヒトラーのような独裁者になろうとしていると決めつけるのである。呆れてしまう。松宮教授は妄想学者である。

学術会議は政治の中枢的存在ではないどころか政治の決定権は全然ない団体である。６人が任命されようがされまいが政治を左右することは全然ない。６人が任命されなかったことを根拠に菅首相がヒトラーのような独裁者になろうとしているなんて考えることは滑稽である。学術会議の会員の任命問題なんて日本の政治全体から見れば顕微鏡でしか見えないほどの極小の問題である。

超極小の問題を菅首相がヒトラーのような独裁者になろうとしていると妄想世界に国民を引き入れようとしているのが６人の非任命で大騒ぎしている連中である。議会制民主主義国家の日本は絶対に菅首相を独裁者にはしない。菅首相も独裁者になる気は全然ない。逆である。菅首相が始めたのは官僚の行政への圧力・支配をなくし政府が行政の主導権を握ることである。それが行政改革である。それは議会制民主主義の発展にもつながる。

菅首相をヒトラー呼ばわりするのは菅首相を侮辱しているだけでなく議会制民主主義国家日本を侮辱している。議会制民主主義国家日本では首相が独裁者になることは絶対にない。議会制民主主義を理解していないから首相が独裁者になるという屁理屈をこねるのだ。

菅首相が憲法違反をしたと主張しているが、そうであるなら提訴して裁判をすればいい。裁判で有罪になったら菅首相は辞職しなければならない。法治国家日本だから当然のことである。しかし彼らは提訴しない。裁判で有罪にすることはできないからだ。

国会はノーマンが必要だが行政にはノーマンは必要ない。ノーマンは国の政治を乱すだけだ。政治を乱し、菅政権支持率を下げるのを目的に騒いでいる連中を軽蔑する。

日本が二大政党にならない原因その１　共産党１

　米国は４年に一度は大統領選挙がある。今年大統領選があり、共和党側のトランプ大統領と民主党側のバイデン氏が立候補した。新型コロナ感染が拡大したために郵便投票も許可した。大統領選に敗北したトランプ側は郵便投票で票数を操作するための民主党による「全米レベルの陰謀」があったと主張し、選挙結果を認めていない。選挙結果を巡り裁判闘争を始めた。

　日本ではトランプ大統領とバイデン氏のどちらが勝つか、日本にとって誰が大統領になった方がいいか、バイデン氏が大統領になれば日本にどのような影響を与えるか、中国との関係はどのようになるかなど米国大統領選が大きな話題になった。

　ただ、誰一人として米国と日本の政治状況の違いを問題にしない。米国は民主党と共和党が政権を争う。４年前は民主党のヒラリー候補を破ってトランプ候補が大統領になった。８年間続いたオバマ大統領の民主党政権から共和党政権に代わった。そして、４年後の今年は民主党のバイデン氏が大統領になり民主党政権になる。

　２００９年～２０１７年の民主党政権から２０１８年～２０２１年は共和党政権になり、２０２１年から民主党政権になる。しかし、日本は自民党一強であり、自民党以外の政党が政権を握ることはない。菅現政権が政策に失敗し国民の信頼を失って菅氏が首相の座から去ったとしても次の首相は自民党議員が就任する。自民党以外の政党から首相に就任することはない。

　日本は自民党一強であるから自民党以外の政党が政権党になることはない。議会制民主主義は多党制である。一党独裁制ではない。ところが日本は米国とは違い自民党一強であるために一党独裁制のような状態である。議会制民主主義にとってあるべき状態ではない。議会制民主主義なのだから米国の民主党ＶＳ共和党のように自民党と互角に対峙できる政党があるべきである。しかし、日本にはない。過去に社会党と民主党が政権党になったことがあったが二つの政党は政権党になったのが原因で分裂してしまった。政権党になったために分裂するなんておかしなことである。

立憲民主党の枝野代表は政権党を目指して、分裂した野党の再結集を目指した。最初に民主党の時に一緒だった国民民主党と合流した。次に社会民主党を吸収した。合流を拒んだ議員は元の政党に残ったが多くの議員は合流した。

枝野代表は国民民主党と社民党には合流を呼びかけたが、共産党には合流を呼びかけなかった。自民党政権に代わるには反自民党野党が合流したほうがより実現する可能性は高い。国民民主・社民党に加えて共産党とも合流すれば政権党になれる可能性は高くなる。政権奪取を目指すなら共産党とも合流を目指すべきである。しかし枝野代表は共産党とは合流しようとしなかった。共産党には選挙協力を呼び掛けただけである。

共産党は選挙協力にとどまらず野党連合に発展させようと提案した。共産党の提案を喜んで受け入れると思いきや、枝野代表は戸惑い、即答しなかった。枝野代表は共産党とは選挙協力だけにし、合流も野党連合もやりたくないのだ。

菅首相が日本学術会議の推薦者６人を任命しなかったことを最初に報道したのは共産党の赤旗である。赤旗の主張をそのまま受け入れて菅政権批判をしたのが立憲民主党である。安倍政権時代の桜の会問題も最初に取り上げたのが赤旗であった。

立憲民主党は共産党の情報・主張をそのまま受け入れて安倍政権、菅政権を批判しているのだ。であれば共産党と手を組み、政権奪取を目指すのが自然の流れである。しかし、枝野代表は共産党と合流する気はないし、共産党と野党連合を組むことにも消極的である。

国会議員は立憲民主党が１５４人、日本共産党が２５人である。圧倒的に立憲が多いから合流を理由に共産党を吸収合併してもおかしくない。しかし、枝野代表は合流だけでなく連合も避けている。立憲は国民と合流し社民党も吸収したのにだ。

なぜ枝野代表は共産党と合流しないのか。両党には決定的な違いがあるから合流を避けている。立憲民主党は政権党になることを目指しているが共産党は違う。政権党になることのみを目指してはいない。共産党は民主主義「革命」を目指している。

２０１７年度の各党本部の収入内訳表である。

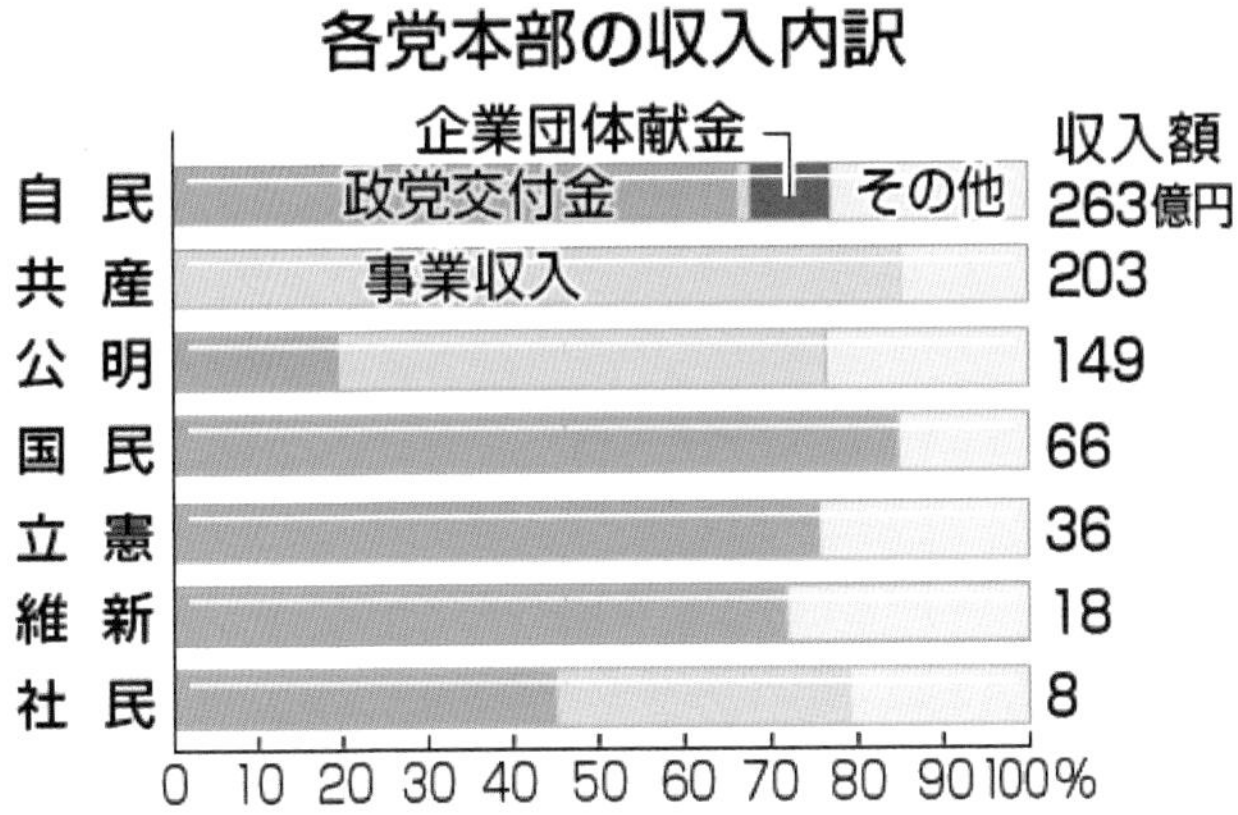

なんと共産党が第二位である。

公明党以外の政党の収入の多くは政党交付金であるが共産党は政党交付金を受けるのを拒否したからゼロである。共産党最大の収入源は機関紙赤旗・書籍販売による１７９億円の収入である。党員が赤旗や書籍を買う。赤旗は党の宣伝誌である。共産党は党の宣伝誌が莫大な収入になるのである。党の宣伝が莫大な収入になるのは共産党だけである。赤旗・書籍から４９億円の利益もある。

国会の政党別議員数である。

自由民主党　３９５
立憲民主党　１５４
公明党　５７
日本維新の会　２６
日本共産党　２５
国民民主党　１６
ＮＨＫから国民を守る党　２
れいわ新選組　２
社会民主党　１

共産党は維新の会より下の５位である。

事業収入が断トツであり政党本部収入が第二位であるにも関わらず国会議員はたった２５人である。政党の収入から見れば共産党を中心に野党が結集すれば自民党と対峙でき、二大政党を築くことができそうであるが、立憲民主党の枝野代表は選挙協力を提案し共産党も了承したが、共産党と合流する気はないし、共産党が提案している野党連合も避けている。おかしな関係が立憲民主党と共産党である。

共産党が赤旗を発行し政党収入が二位であるにも関わらず国会議員数は5位のわずか25議席であるのは共産党が他の政党とは体質が違うからである。他の政党は国会で過半数を確保して政権党になることを目的にしている。共産党は違う。政権党になることだけを目的にしていない。共産党は民主主義革命を目指す政党である。

2020年、第28回党大会で改定日本共産党綱領を発表した。共産党が現在の日本社会の特質について述べている部分を要約する。

現在の日本は独立国としての地位を失っている。日本はアメリカへの事実上の従属国である。一九五一年に締結されたサンフランシスコ平和条約と日米安保条約によって日本は米国の単独支配となりアメリカの世界戦略の半永久的な前線基地となった。

日本とアメリカとの関係は、対等・平等の同盟関係では決してない。日本の現状は対米従属の状態にある。アメリカの世界戦略とアメリカ独占資本主義の利益のために、日本の主権と独立を踏みにじる帝国主義的な性格のものである。

日本独占資本主義は早い時期にすべてのヨーロッパ諸国を抜き、アメリカに次ぐ地位に到達するまでになった。中心は少数の大企業であり、大きな富をその手に集中して、巨大化と多国籍企業化の道を進むとともに、日本政府をその強い影響のもとに置き、国家機構の全体を自分たちの階級的利益の実現のために最大限に活用してきた。国内的には、大企業・財界が、アメリカの対日支配と結びついて、日本と国民を支配する中心勢力の地位を占めている。

共産党綱領より

共産党にとって日本はアメリカ独占資本に従属する独占資本主義である。日本の議会制は独占資本主義体制に組み込まれたものであり、政権党になっても独占資本主義から解放することはできない。日本をアメリカ従属、独占資本体制から解放するには民主主義革命と民主連合政府の樹立であると共産党はいう。

日本の独占資本主義と対米従属の体制を代表する勢力から、日本国民の利益を代表する勢力の手に国の権力を移すことが共産党の民主主義革命である。民主主義革命を達成することは、日本を独立・民主・平和に道を開くものであると共産党綱領は述べている。

米国も日本も資本の独占を許さない。それが独占禁止法である。戦前の日本は独占禁止法がなかったから財閥が経済界を支配し、政府と密接になりアジアへ進出していった。しかし、戦後は独占禁止法によって財閥は解体し、企業が政府を支配することは不可能になった。日本の経済が発展したのは独占資本主義だったからではない。独占資本主義を禁止して財閥を解体し、自由競争にしたからである。トヨタやホンダなどは小さな会社であった。技術開発によって優れた車を製造したから、製品の売り上げを伸ばし大企業へと成長していった。戦争で破壊しつくされた状態から奇跡的な経済復興ができたのは自由競争によって優秀なベンチャー企業が成長したからである。

共産党は経済が世界二位まで成長しても大きな富を集中したのは少数の大企業であるというが事実はそうではない。富は労働者にも分配された。労働者の給料は上がり、新規雇用が増えた。労働者の生活は豊かになった。

５０年くらい前の雑誌に、本田技研工業（通称：ホンダ）の創業者の本田宗一郎に、記者が「なぜホンダは大きく成長したか」という質問に本田氏は「上が居なくなったから」と答えたという記事があった。

戦前、タワシを発明し生産をしていた会社に政府の官僚がやってきてタワシの特許権を財閥の会社に譲るように圧力をかけてきたという。タワシの発明者は圧力に屈することなく、特許権を譲らなかったという。

戦前は小さな会社が発明、技術開発したら特許権を財閥に売るように国が圧力をかけていた。しかし、戦後は独占禁止法ができ、政府は自由競争を推進するようになった。本田氏の「上が居なくなったから」というのはそのことを指している。日本も米国も独占資本主義を禁じている国である。

日本経済が急成長したのは自動車や電気機器などを米国が大量輸入したからである。そのために米国の企業が倒産し、多くの失業者を出した。日本車を輸入するなと米国の労働者が日本車打ちこわし運動をした。日米貿易では日本が黒字であった。日本が対米従属の独占資本主義国家ではなく、独立した自由市場の国家であったから貿易黒字になったのである。共産党は日本を独占資本主義だと決めつけ、民主主義革命で国民大多数の根本的な利益にこたえる独立・民主・平和の日本に道を開くというが民主主義日本に民主主義革命は不要である。革命は終わっている。

日本は民主主義国家であって民主国家ではない。またまだ民主化していかなければならない。そのために国会で民主化のために討議して法案をつくっている。共産党は議会制による民主化ではなく民主主義革命を目指している。革命となると議会の過半数を確保して政権党になるだけでは実現できるものではない。共産党は民主主義革命を実現するために統一戦線という戦略を実施している。

労働者、勤労市民、農漁民、中小企業家、知識人、女性、青年、学生など、独立、民主主義、平和、生活向上を求めるすべての人びとの結集を目指したのが統一戦線である。

日本共産党と統一戦線の勢力が、国民多数の支持を得て、国会で安定した過半数を占めるならば、民主連合政府をつくることができるというのである。そう共産党の綱領に書いてある。

他の政党は政権党を目指して選挙運動に集中している。共産党は選挙だけでなく統一戦線の勢力拡大にも集中している。

共産党の統一戦線戦術が成功したのが日本学術会議である。日本弁護士連合会、学者世界にも統一戦線戦略は浸透している、教員の全日本教職員組合、公務員の自治労連、安保廃止を求める市民連合も統一戦線の一つである。しかし、国会と同じように社会全体から見れば少数である。統一戦線は色々な場所でつくられている。

国会で過半数を確保し、統一戦線の勢力が国民多数の支持を得た時に民主主義革命を実行し、民主連合政府を設立するのが共産党の目的である。民主連合政府が設立された時には独占資本主義側の自民党は存在しない。排除されている。

　立憲民主党枝野代表が共産党と選挙協力はするが共産党と共闘しないのは議会制民主主義の破壊につながる民主主義革命を共産党が目指しているからである。日米を独占資本主義国家だと決めつけているから民主主義革命論が成り立つのである。枝野代表は日米は議会制民主主義国家だと認識している。だから枝野代表には民主主義革命論はない。民主主義革命論は共産党だけが持っている。

　日米は議会制民主主義国家だと認識している枝野代表だから辺野古移設問題は米国政府と話し合って解決すると主張している。共産党は違う。日米安保を破棄し、問答無用で辺野古だけでなく全ての米軍基地を撤去させるのが共産党のやり方である。

米軍への対応が枝野代表と共産党が違うことが沖縄立憲民主党設立の席で明らかになった。

　反米主義の共産党は那覇米軍港の浦添移設に反対である。ところが枝野代表は移設に賛成したのだ。理由は地元の浦添市が移設に賛成したからである。全ての米軍基地撤去を目指す共産党は地元が賛成しても反対である。

　沖縄県議会では共産党と立憲民主党は与党である。同じ与党でありながら那覇軍港の浦添移設では対立したことになる。

　民主主義革命を目指している共産党が立憲民主党と合流するのはあり得ない。共産党が国会の過半数の議席を確保するのも不可能である。

　共産党は二大政党実現の足を引っ張る存在である。議会制民主主義国家日本には必要のない政党である。

日本が二大政党にならない原因その1　共産党2

辺野古に関する裁判で、県が国を訴えた訴訟の判決が11月27日にあった。

山口和宏裁判長は、県の訴えは「県自体の利益救済などを求める内容ではなく、裁判の対象にはならない」として却下した。

県が埋め立て承認を撤回したことに対して、国交相は19年4月、軟弱地盤が見つかっても工事を行うことは可能として、県の撤回を取り消す裁決をして、工事を続行した。採決に対して県は二つの訴訟を起こした。一つは、防衛省や国土交通相による手続きが違法だと訴えた。今年3月、最高裁が適法と判決した。

今回の二つ目の訴訟は、撤回を取り消した判断そのものが間違っているとして、裁決の取り消しを求めたものである。県の訴訟に対して山口裁判長は裁判の対象にならないと却下したのである。

民事裁判は訴訟側が損害を被ったから被告に損害の解消を求めなければ成り立たない。

那覇市の松山公園に孔子廟が建っている。金城テルさんが原告となり孔子廟は憲法の定めた政教分離に違反していると那覇市を訴えて裁判をしている。実は憲法違反だと訴えるだけでは裁判所は受け付けない。テルさんが勝ったとしても憲法違反が確定するだけではテルさんの損害は解消されないからだ。テルさんは「孔子廟は宗教建造物である。無償で土地を貸すのは憲法違反であるから城間那覇市長は免除した使用料576万7200円を那覇市に支払え」と訴えたのだ。免除したのは那覇市民であるテルさんの損失である。使用料を払えば那覇市民としてのテルさんの損失は解消される。金額の請求をしたから裁判が成立したのである。孔子廟を訴訟するのは那覇市民に限る。他の市町村民にはできない。金銭的な不利益がないからだ。那覇市民のテルさんだから訴訟できるのである。

民事裁判は損害を被った原告が損害の補償を求めて訴訟をする。それは民事裁判の常識である。

今回の県の訴訟は県に損害が出たから訴訟したのではなかった。

１８年８月に県が埋め立て承認を撤回したことに対し防衛省は国土交通省に救済を求めた。国交省は１９年４月、県の撤回を取り消す裁決をした。翁長前知事が承認取消をした時は裁判になり最高裁で取消無効の判決が下ったので翁長前知事は取り消し要求を取り消した。今回は裁判ではなく国土交通省の採決であるから県への法的拘束力はない。国が県の承認撤回に反対したということであって県が撤回を取り消す法的義務はない。防衛省が国交省の裁決を根拠に承認撤回の取り消しを求めて訴訟するのが裁判の手順である。ところが採決を不服として県は国土交通省を提訴したのである。

この訴訟で県が勝っても負けても県の承認撤回に影響しない。負けても承認撤回の主張はできる。

県の承認撤回に対して国が承認撤回は無効であると訴えて裁判になった時は原告の国が負ければ辺野古埋め立て承認が撤回されるから国は埋め立てを中止しなければならない。国が勝てば県は承認撤回の取り消しをしなければならない。だから、国が県の承認撤回は無効であると提訴すれば裁判になる。

防衛省は承認撤回の取り消しを求めた提訴をするために公有水面埋め立て法を管理している国交省に県の取り消しが法的に違法か否かの採決を求めたのである。国交省は違法の裁決をした。通常であるなら国交省の裁決を根拠に防衛省が県を提訴するのだが、国が提訴する前に県が国交省を提訴したのである。

承認取消裁判で敗北した県の最後の手段が承認撤回である。承認撤回が県の最後の法的権利である。承認撤回裁判で敗北すれば埋め立て工事を裁判で阻止することができなくなる。敗北するのは承認取消と同じように確実である。県としては防衛省が提訴して承認撤回裁判になるのを引き延ばしたい。引き延ばすのに利用したのが国交省の採決への訴訟である。防衛省は国交省の採決を根拠に県の承認撤回の取り消しを求める訴訟を起こす予定であった。承認撤回裁判をできるだけ引き伸ばしたい県は国交省の採決への訴訟を起こしたのである。裁判所が却下するのは分かっていながら県は提訴したのである。

辺野古移設反対運動をしている三人の判決に対する意見を沖縄紙は紹介している。

辺野古新基地建設に反対する名護市三原の浦島悦子さん（７２）。

「中身の議論に入らず却下とは、国の意向をくんで、県にものを言うなということだ。地方自治や民主主義が無視されており、司法はもっと自立して役割を果たしてほしい」

那覇市から辺野古に駆け付けた大城博子さん（６９）は「今の日本の裁判所には期待していない」とあきれる一方で、「県も訴訟だけでなく、基地建設を止めるためにあらゆる方策を考えて地方自治を発揮してほしい」と述べた。

宮古島市で陸上自衛隊配備計画への反対を訴えるミサイル基地いらない宮古島住民連絡会の仲里成繁代表、

「埋め立て承認は間違っているという県民の考えを基に県は撤回した。裁判所で審理しないならどこに聞けというのか」と語気を強めた。辺野古を巡るこれまでの訴訟にも言及し「中身に触れないまま退けられ続けている。この国は本当に三権分立なのかと疑問に思う」と指摘した。

三人に共通していることがある。「司法が自立していない。日本の司法は政府に忖度していて三権分立が確立していない」と考えていることである。三人は日本の司法を容認していない。

共産党綱領は日本は独占資本主義であり米国の従属国であると定義している。三人が裁判が正しい判決下さない根拠にしているのが共産党綱領の日本は米国に従属している独占資本主義という定義である。

日本に真の民主主義を取り戻すために民主主義革命を目指しているのが共産党である。三人の発言から彼らが統一戦線の活動家であることが予想できる。

浦島悦子さんを１０年ほど前から知っている。辺野古の沿岸にはジュゴンの餌である藻が生えていて、月夜の夜にはジュゴンは辺野古の沿岸にやってきて藻を食べるというような文章を沖縄紙に掲載していた。ジュゴンについて全然知らなかったので彼女の話を信じていた。彼女はジュゴンを守るために辺野古に米軍飛行場を建設することに反対していた。私は宜野湾市民の生命が大事だから辺野古移設に賛成する意見を投稿し、沖縄紙に掲載された。２、３回掲載された。浦島さんが私の意見を批判したので反論の投稿をしたが掲載されることはなかった。

ジュゴンについて調べると彼女の話が真っ赤な嘘であることが分かった。シュゴンは回遊魚であり、三〇〇〇キロも移動する。ジュゴンは沖縄近海の藻場から藻場へ移動している。辺野古の海に生息しているのではない。ジュゴンの餌の藻は辺野古の海ではなく大浦湾に生えている。ネットで調べれば簡単に分かることである。

浦島さんは１９４８年、現在の鹿児島県薩摩川内市に生まれた。沖縄には、１９９０年の４２歳の時に移住している。自然に抱かれた暮らしを求めて現在の地域に住むようになったという。それはおかしい。辺野古には米軍のキャンプシュワブがあり、大浦湾の南側は米軍基地である。海では海兵隊の訓練もある。自然に抱かれた生活をするには不似合いな場所である。沖縄の自然に囲まれた生活をしたいのなら別の場所に移住していただろう。ところが浦島さんは別の場所に移住しないどころか「辺野古　海のたたかい」「豊かな島に基地はいらない「シマが揺れる：沖縄・海辺のムラの物語」などの本を出版し、辺野古の座り込み運動に参加し、辺野古移設反対運動の先頭に立っている。浦島さんが共産党の統一戦線活動家であることは確実だ。統一戦線活動家の特徴は共産党員ではないし、左翼でもない、民主主義を主張する一市民を装うことである。

確実に統一戦線活動家である人物がもう一人いる。北上田毅氏である。彼の演説をユーチューブで見たのは２０１６年である。辺野古の集会で演説をした。沖縄では無名に近い人物であったが彼の演説を聞いて山城議長よりも優れた活動家であると感じた。北上田氏の演説は筋道が通っていて説得力がある。聞く人を納得させる力がある。感情的に演説する山城議長とは対象的であった。

ネットで彼のことを調べた。

北上田氏は沖縄に来る前は京都市教育委員会の「教育改革パイオニア研究事業」で特定の教職員に委託料を支出したのは違法だとして、『心の教育』はいらない！市民会議」などの市民団体のメンバーが桝本頼兼市長を相手に、桝本市長や門川大作前教育長らに総額約７１００万円の損害賠償を請求するよう求めた訴訟があり、原告団の中心的な存在の一人が北上田氏であった。２００７年１２月２６日に京都地裁は、門川前教育長に７，１６８万円の損害賠償を命じ勝訴した。北上田氏は勝訴判決を受けた２００７年に沖縄にやってきた。京都では教育関係の汚職問題に関わっていた北上田氏が沖縄に来たのは教育問題とは関係のない米軍基地反対運動のためであった。

北上田氏は京都では教育関係の裁判に関わっていて、沖縄の基地問題には全然関わっていなかった。沖縄に行く理由はなかった。しかし、北上田氏は損害賠償の裁判が決着した年に沖縄に来て反基地運動を始めたのである。

北上田氏は普天間基地大山ゲート前の道をノロノロ運転して基地反対運動を始めた。写真は北上田氏が運転している車である。

辺野古問題に関して沖縄紙に北上田氏の述べ

たことが頻繁に掲載されたが名前ではなく「土木専門の人」であった。
埋め立て予定地に軟弱基盤が見つかった時、日本の技術では埋め立てができないことを最初に指摘したのは北上田氏だった。辺野古工事は１３年で２．５兆円かかると最初に指摘したのも北上田氏のブログだった。北上田氏の試算を県や沖縄紙は発表した。北上田氏は京都大学の土木建築科を卒業している。

京都で市長と教育長に損害賠償を求める裁判に取り組んでいた北上田氏が裁判が終わった直後に沖縄の米軍基地反対運動に参加しようと決意するはずがない。北上田氏は誰かの指示に従って沖縄に来たのは明らかである。
沖縄で基地反対運動のバックに存在するのは共産党と社民党である。山城議長のバックは社民党である。北上田氏のバックの政党ははっきりしない。
北上田氏は辺野古で船長をしている。彼が船を購入したとは思えない。国会など本土との行き来は多い。基地反対運動で毎日忙しい生活を送っている。彼は仕事をしていない。収入はないはずである。彼に生活資金を提供している者が居ることは確実である。彼の生活資金を提供しているのは共産党以外には考えられない。基地反対運動が北上田氏の仕事である。

平和安全法制（安保法制）に反対する「自由と民主主義のための学生緊急行動」（シールズ）という団体あったがシールズの運動で利用していたのが共産党の車であることが判明し、シールズのバックには共産党が存在していることが明らかになった。沖縄のシールズは東村高江周辺のヘリパッド建設や名護市辺野古の新基地建設など、政府の強硬姿勢を批判し、安保法制や新基地建設に反対する活動をした。「辺野古」県民投票の会代表であった元山仁士郎はシールズ琉球の設立メンバーである。

共産党の統一戦線活動家が辺野古で「自然保護」「民主主義」を掲げて活動している。県民投票で辺野古埋め立て反対票の７割を勝ち取ったのは統一戦線の活躍なしには実現しなかっただろう。

日本が二大政党にならない原因その1　共産党3

日本共産党はロシア革命を、労働者を解放するプロレタリア革命であると錯覚して誕生した政党である。

プロレタリア革命とは資本家に搾取され支配された労働者を解放して自由にすることである。共産党宣言で「万国の労働者よ団結せよ」という有名な宣言がある。労働して生産するのが労働者である。民族、文化、生活様式が違っていても労働者は万国共通の存在である。労働者が搾取されない、自由な国をつくることは万国共通する。万国の労働者は団結してプロレタリア革命を起こし労働者の解放を勝ち取ろう。それが「万国の労働者よ団結せよ」である。

プロレタリア革命は資本主義経済が発展して資本家階級が国家権力となった時に起こすものである。しかし、ロシア革命は資本家階級を倒したのではない。倒したのはロマノフ朝である。ロシア革命で皇帝ニコライ2世とその家族は捕らえられ銃殺された。３００年続いたロマノフ朝が幕を閉じた。

ロシアはヨーロッパより近代化が遅れていた。ロマノフ朝が続きニコライ2世が支配していた。日本でいえば江戸幕府である。ロシア革命が倒したのは資本家階級ではなく日本なら江戸幕府＝武士階級を倒したのだ。ロシア革命はプロレタリア革命ではなかった。ロシアでは資本主義経済は発展していなかったからブルジョア階級は弱く、国を支配するほどの力はなかった。ブルジョア階級も皇帝ニコライ2世の支配下にあったのだ。

ロシア革命は農民、軍隊、労働者、そして資本家の団結によって成功した。労働者が戦った相手は資本家ではなく皇帝ニコライ2世であった。皇帝ニコライ2世政権を倒した後に臨時政府を設立したが主導権争いで内部抗争が激しくなり、臨時政府を倒したのが亡命先からロシアに帰国したレーニンが率いるボリシェビキ派であった。

プロレタリア革命とは資本主義が発展した国で資本家階級の支配を倒すというものであった。それとは違っていたのがロシア革命であったのだ。

ロシア革命以前にわずか2カ月であったが1871年にパリでプロレタリア革命が起こった。史上初の「プロレタリアート独裁」による自治政府を宣言したパリ・コミューンである。

パリ・コミューン宣言一部

労働者諸君、コミューン革命はこれらの原理を確認し、未来における葛藤のあらゆる原因を取り除くものである。・・・・。信用と交換の組織、労働者の結社、無償の世俗的な完全教育、集会と結社の権利、言論の絶対的な自由、市民の自由、警察、軍隊、衛生、統計、その他の業務を自治体の観点でなす組織。・・・・・。パリの人民は、自らの都市の主人としてとどまり・・・・・自らの自治体の代表を確保するという至上の権利を、議会の選挙投票において確認するであろう。

パリ・コミューンはヴェルサイユ政府軍によって鎮圧されたが、パリ・コミューンで行った数々の社会民主主義政策は、今日の世界に大きな影響を与えた。

パリ・コミューンが掲げた政策は、教育改革、行政の民主化、集会の自由、労働組合をはじめとする結社の自由、婦人参政権、言論の自由、信教の自由、政教分離、常備軍の廃止、失業や破産などによる生活困難者を対象とした生活保護などであった。

パリ・コミューンが掲げた政策のほとんどは戦後の国民主権、議会制民主主義である日本で実現しているものである。

パリ・コミューンと社会主義ソ連と決定的な違いがある。パリ・コミューンは行政の民主化、集会の自由、結社の自由、言論の自由、信教の自由が政策であったがソ連には労働者市民の自由はなかった。ソ連だけでなく中国など社会主義国家には労働者の自由がない。社会主義は労働者を縛り付ける国家である。パリ・コミューンがプロレタリア革命であったとすれば社会主義国家ソ連はプロレタリア革命に逆行するものである。

ロシアでの革命を世界へ波及させることを目的として、1919年3月に「コミンテルン」が結成された。1922年に日本共産党が成立した。

遠いロシアの国の体制の詳しい内容を日本で分かるはずがない。日本共産党はロシア革命は労働者、市民を解放し幸せにする素晴らしい革命であると信じた。日本共産党は今も社会主義国家が最高の国家であると信じている。

１９９１年にソ連は崩壊した。崩壊したのはスターリン主義が原因であり共産党一党独裁の社会主義が原因ではないと日本共産党は思っている。社会主義が未来の共産社会につながると信じている。

ソ連が崩壊した根本的な原因は共産党一党独裁の社会主義国家だったからである。共産党一党独裁の政治は血族の独裁から共産党という集団の独裁に代わっただけである。血族の独裁にしろ共産党一党独裁にしろ国民の自由を奪う独裁国家に違いはない。ソ連では労働者は解放されなかったし自由もなかった。労働者が解放されたのがロシア革命あると日本共産党は信じたがそれは幻想でしかなかった。

日本共産党は米国と日本は独占資本主義と信じきっている。信じている原因はレーニンの理論をそのままそっくり受け入れているからである。

レーニンは国家とは支配階級が被支配階級を支配するために存在していると説いている。資本主義社会である米国は資本家階級が労働者階級を支配している国家であるというのがレーニンの理論である。

米国は選挙で大統領と議員を選んでいるが、選挙をしてもブルジョア階級が支配していることに変わりはないと１００年前のレーニンは議会制民主主義を否定した。だからソ連には選挙はない。日本共産党は現在もレーニンの理論を信じている。１００年後の今の米国を見ればレーニンの理論が間違っていることは明確である。

共産党にとって米国は資本家階級が労働者階級を支配する独占資本主義国家であり帝国主義国家である。日本も米国と同じ独占資本主義国家であると決めつけている。

国民主権、議会制民主主義の日本は資本家階級が労働者階級を支配している国ではない。労働者階級が解放されている国だ。プロレタリア革命の象徴であるパリ・コミューンと比べると分かる。

パリ・コミューンのいうプロレタリア革命とは労働者、市民の自由と行政を選挙で選ばれた代表の下に設置することである。パリ・コミューンのいうプロレタリア革命は国民主権・議会制民主主義を目指していたのである。

プロレタリア革命の象徴ともいえるパリ・コミューンは自治体の代表を議会の選挙投票において選んだ。しかし、ロシア革命のソ連は共産党一党独裁国家であり労働者、市民による選挙はなかった。パリ・コミューンの政策に近いのはソ連ではなく、戦後の日本である。

パリ・コミューンがプロレタリア革命であるなら戦後日本もプロレタリ革命と言える。

ロシア革命はプロレタリア革命ではなかった。共産主義とはかけ離れた共産党を名乗った政党の独裁国家だった。日本共産党も共産主義ではないし、プロレタリア階級に味方する政党でもない。もし、共産党がプロレタリア階級の味方であれば日本の労働者は共産党を支持し、共産党が与党になれるほどの議席を確保している。しかし、共産党はたった２５議席しかない少数政党である。原因は共産党は労働者階級に支持されていないからだ。

日本最大の日本労働組合総連合会は共産党を支持していない。共産党を支持しているのは全国労働組合総連合である。全労連は官公労の自治労連、日教組の左派などの公務員団体の集まりである。公務員は民間労働者ではない。民間労働者は働いて得た給料から税金を払う。公務員は税金を給料として受け取る。公務員は労働者階級に属さない。共産党は民間労働者に支持されないで公務員に支持されている政党である。

共産党が民間労働団体に嫌われていることが明らかになる事態が起こった。

枝野代表は自民党に選挙で勝って政権を奪取する目的で野党の結集を呼び掛けた。国民新党とは合流し、社民党を吸収した。そして、共産党に選挙共闘を要請した。共産党は受け入れた上で野党連合を枝野代表に提案した。立憲民主党と共産党が接近する中で、立憲民主党を支持している日本労働組合総連合会傘下の全トヨタ労働組合連合会が連合を離脱する可能性が出てきた。原因は立憲民主党が共産党と接近したことにある。立憲民主党が共産党と共闘するならトヨタ労連は立憲民主党を離脱すると幹部は警告している。共産党が労働者階級の味方ではないことを労働団体は知っているのだ。

共産党は教職員、公務員を中心に学者、弁護士、文化人、マスコミ人などが結集する政党である。労働者階級とは距離のある政党である。政党の本部収入は２０３億円で自民党に次ぐ2位である。資金力は豊富であり党員も多い強大な政党である。ところが国会議員わずか２５人と議員は少ない。

共産党は日本を独占資本主義と呼び資本家を敵としている。１％の資本家ではなく９９％の労働者の味方であると宣言している共産党である。しかし、労働者に嫌われている。資本家にも労働者にも支持されないのが共産党である。

共産党は統一戦線で労働者、勤労市民、農漁民、中小企業家、知識人、女性、青年、学生の結集を目指しているが多数結集させることは無理である。それが共産党である。

最大の労働団体連合に嫌われている共産党は二大政党の足を引っ張る政党でしかない。共産党が立憲民主党と共闘すればトヨタ連合会は連合を抜けるだろう。トヨタ連合だけでなく他の労働団体も抜ける可能性がある。共産党との共闘は立憲民主党が労働団体の支持を失うことになる。ロシア革命にあこがれ、社会主義を信じる共産党は二大政党設立を破壊する政党である。

共産党はプロレタリア革命の原点であるパリ・コミューンの精神に戻り、労働者の解放、自由とはなにかをもう一度追及してほしい。

「共産党よ　プロレタリア革命の原点に戻れ」と叫びたい。

国民主権、議会制民主主義、三権分立、表現の自由、職業選択の自由、義務教育、政教分離、財閥解体、独占禁止、政治家への賄賂禁止等々、戦後日本はプロレタリア革命に等しい変革を実現してきた。これからも変革していく。それが国民主権・議会制民主主義だ。

10月15日

社会主義の次に資本主義になることが歴史的必然　共産党は逆行している

1991年にソ連は崩壊した。社会主義国家の崩壊である。崩壊した後に次々と登場したのは経済は資本主義、政治は議会制民主主義の国家であった。資本主義・議会制民主主義であった国が社会主義国家になったのは一つもない。社会主義は資本主義・議会制民主主義に変わることが歴史の流れである。

レーニンがロシア革命を起こした時に米国の資本主義国家を否定して企業は国営にし、政治は共産党一党独裁にした。国営にした理由は、民営の資本主義はブルジョア階級がプロレタリア階級を搾取するから、搾取するブルジョア階級を排して搾取のない社会にするためであった。企業を国営化したのが社会主義国家であるソ連は1991年に崩壊した。同じ社会主義国家である中国は崩壊するどころか世界二位の経済大国なっている。二つの国の違いはなにか。

中国が経済発展したのはレーニンが設立した社会主義国家とは違っているからだ。社会主義国家では企業は全て国営である。しかし、現在の中国は全ての企業が国営というものではない。日本、米国、欧州などの企業が中国に進出している。それらの企業は中国政府の国営ではない。外国企業の民営である。中国は政治は共産党一党独裁の社会主義国家であるが経済は国営企業と民営企業が混在している自由市場の国家である。ソ連と中国の決定的な違いがここにある。

中国もソ連と同じように国営企業だけだった。もし、中国がソ連と同じように国営企業だけだったらソ連と同じ運命をたどっていただろう。しかし、中国は社会主義のルールを破って資本主義を採用して外国企業を取り入れた。政治は共産党一党独裁を守ったが経済では資本主義を導入したのである。資本主義を導入したのが鄧小平である。

鄧小平は日米と国交回復をした時、1978年に日本、1979年に米国を訪問した。その時に日米の経済発展に驚いた。科学技術において立ち遅れた中国という現実を直視した鄧は改革開放推進を決意した。鄧小平は党中央を動かし、香港に隣接する広東省の深圳に経済特区を設置した。この外資導入による輸出志向型工業化政策はきわめて大きな成果を収めた。

鄧小平は「白猫(社会主義)であれ黒猫ュ資本主義」であれ、鼠を捕るのが良い猫である」と述べて中国の経済発展のためなら資本主義でもいいと市場経済を中国に導入したのである。外国の資本を導入した中国は世界二位の経済大国に発展した。

民営(資本主義)を除外して国営(社会主義)に徹したソ連は崩壊し、民営を導入した中国は世界第二位の経済大国になった。資本主義の社会主義化を最終目標にしている日本共産党はソ連のように日本経済が悪化して貧しい国になるのを目指しているのに等しい。

ほとんどの国民は共産党が経済は民営から国営にしようとしていることを知らない。綱領には資本主義を社会主義にすると書いてあるが、志位委員長が国民に主張することはない。共産党の革命論は二段階革命論である。第一革命は民主主義革命。第二革命が社会主義革命である。現在は自由、平等、反戦平和を目指す民主主義革命の段階である。だから、社会主義革命は党員には主張しても国民には主張しない。国民に主張するのは民主主義である。

日本は議会制民主主義国家である。しかし、共産党は資本主義国家である日本の議会制民主主義を民主主義とは認めていない。資本主義の議会制国家はブルジョア階級が支配するための国家であるというレーニンの理論を信じている日本共産党だからだ。

中国は資本主義を導入し、外国資本を受け入れた。社会主義国家であるベトナムも資本主義を導入している。経済の流れは社会主義から資本主義に流れている。資本主義の日本が社会主義になることはあり得ない。しかし、日本共産党は日本の社会主義化を目指している。時代に逆行しているのが日本共産党である。

共産党と野党連合?立憲民主党が政権を握るのは夢のまた夢である

維新の会以外の野党の総結集を目指している立憲の枝野代表は、総理指名選挙で共産党の志位和夫委員長と会談し、

「菅政権を倒して政権交代を実現したい」

と自身への投票を依頼した。志位委員長は、

「野党連合政権を作るという意思表示として枝野氏に投じる」

と約束した。

共産党は枝野代表に投票した。共産党が他党の党首に投票したのは22年ぶりである。共産党は1998年に菅直人・民主党代表に投票した以外に他党党首に投票したことはなかった。共産党が他党首に投票するのは非常に珍しいことである。

共産党は二段階革命論を目指している政党である。第一革命が民主主義革命。民主主義革命が成就した後に第二革命の社会主義革命をやる。革命を目指している政党は共産党だけである。旧社会党も革命論はなかった。立憲民主党は旧社会党の穏健派が多いが彼らには共産党のようなしっかりした革命論はない。社会主義を理想社会としている共産党にとって自民党や保守は敵であり潰す相手である。だから、自民党を離脱した保守であっても共産党にとって敵である。共産党が保守系を党員にすることは絶対にない。立憲民主党は保守党員がいるが共産党には一人もいない。共産党は同じ左翼であっても確固とした二段階革命を目指している。だから同じ左翼である旧社会党と共闘することはなかった。旧社会党穏健派のように保守と合流して民主党のような政党を設立することは絶対にない。共産党にとって自民党系は敵以外の何物でもない。

独自路線を歩んでいた共産党が野党連合を目指すようになった。方向転換したのは2015年9月に安保法制(平和安全法制)を通されたからである。共産党は安保法制だけは廃止しないとだめだと考えている。廃止するには国会の過半数が廃止に賛成しなければならない。共産党だけで過半数になるのは不可能だ。安保法制を廃止にするには野党の協力が必要であり、野党で政権を取らなければだめである。共産党は安保法制を廃止する

ために他の野党と選挙協力することにした。

共産党は資本主義社会を認めていないし議会制に反対である。選挙で政治家を選ぶと労働者を搾取する資本家に味方する政治家が選ばれ、資本家の利益のための政治が行われると考えるからだ。事実米国ではホテル王であるトランプ氏が大統領になった。共産党から見れば米国はブルジョア階級が政権を握り政治を行っている帝国主義国家である。レーニンが「国家と革命」で議会制の米国であっても実質は帝国主義国家であることを理論化した。共産党はレーニンの理論を信奉している政党である。

共産党にとって米国と親しい自民党は帝国主義国家米国に従属している政党であり、日本から抹殺すべき政党である。


志位氏は20年間共産党委員長である。共産党は選挙で委員長を選ばない。もし、選挙で選べば資本主義の手先が党員になりすまし、投票で資本主義の手先を委員長にする可能性があるからだ。だから共産党は全党員の選挙で委員長を選ばない。形式的な選挙はやるが、実質的には長老や幹部の会議で選ぶシステムになっている。政党で一番安定しているのは共産党である。選挙で代表を選ばないからである。共産党以外の政党は選挙で党首を選ぶために内部抗争が激しくなって不安定になりがちである。

共産党が議会制を否定しているのに選挙に参加して議員を確保しているのは現在の国家の政権党になるためではない。共産党を支持する国民を増やし、現在の資本主義国家(共産党は議会制民主主義国家とは言わない)を社会主義国家にするためである。

共産党のいう野党連合の結成というのは自民党と五分に政権を争うようになるのが目的ではない。野党連合によって政権を握り、自民党を潰して、野党連合による独裁政権にすることである。共産党の最終目的は社会主義革命の実現である。

選挙協力だけであるならいいが、共産党と共闘すれば、立憲民主内で分裂が起こるのは確実である。立憲民主が政権を握るのは夢のまた夢である。

亀甲墓真後ろに家　不思議

亀甲墓のすぐ後ろに二階建ての住宅が建っている。まるで亀甲墓の上に乗っかっているように見える。

この墓は恐らく戦前に建てただろう。それにしても亀甲墓のすぐ後ろに住宅があるのには驚いた。普通の墓の隣に家があるのは見慣れているが古い亀甲墓の直ぐ後ろにある住宅を見るのは初めてだ。

この家は引っ越した家から５００メートルほど離れた場所にある。裏の通り沿いにあるので今の家に引っ越して初めて知った。この通りは字比謝あたりに行く時に通る。他の場所に住んでいたら通ることのない道路である。

子供の頃は墓といえば亀甲墓であった。墓は怖い存在であり、幽霊が出るかも知れないので怖くて近づくことはできなかった。そんな亀甲墓のすぐ後ろに家を建てたのである。考えられないことであるが紛れもなく事実である。

亀甲墓の隣に家を建てる気に私はなれない。時代は移り変わり恐れ多い亀甲墓に対する気持ちも変わったのだろう。

亀甲墓は琉球王朝時代に氏族のみに許された墓であった。琉球王国が明治政府によって滅ぼされ、廃藩置県で、氏族の特権がなくなったので明治中期には庶民にも亀甲墓を造ることが許されるようになった。庶民といっても亀甲墓をつくるには大金が必要であり普通の庶民につくれない。元武士や商人などの金持ちがつくっただろう。亀甲墓は門中墓ともいわれて親族がシーミー(清明祭)の時に亀甲墓に集まって重箱のウサギモノのごちそうをみんなで食べる。子供の頃は楽しみであった。核家族時代になるとそれぞれが墓をつくり家族だけのシーミーをやるようになった。親族が集まるシーミーはなくなった。

亀甲墓の家について、驚くのはそれだけではない。墓の右側に道路がある。この家の出入りに使用している道路である。この道路の右側にはなんと10基以上の墓があるのだ。遠くに見える建物が亀甲墓の真後ろに立てた家である。墓に囲まれている家である。なぜこんな場所に家を建てたのか。不思議である。土地がとても安かったのだろうか。それともこの土地の所有者だったからなのだろうか。

これらの墓も亀甲墓であるが、ブロックとスラブで造ったものであり、戦後の墓である。戦後は核家族になったのと墓が安くなったので墓がどんどん増えていった。戦前の人口は60万人だったが戦後は人口がどんどん増えて、140万人になった。人口が増えたのも墓が増えた原因である。

それにしても亀甲墓の真後ろに家を建てたのは不思議である。しかし、建てた理由を家主に聞く気はない。聞いても教えないだろう。

日本学術会議の実態は
左翼独裁　６人除外は
行政改革の始まり

10月20日

日本学術会議の実態は左翼独裁
6人除外は行政改革の始まり

日本学術会議が105人推薦したのに政府が6人を任命しなかったことで「学問の自由への侵害だ」と大騒ぎになっている。

会員に任命されなかった小沢隆一・東京慈恵会医科大教授（憲法学）は、政府が任命権の根拠に公務員の選定罷免権を持ち出していることに対して、

「この権利は首相や行政府のものではなく国民のもの。国政自体が国民のものだからだ。天皇の下に行政府があった戦前とは違う」と指摘した。

小沢教授の言う通り戦前は天皇主権であった。戦後は国民主権になり、国政は国民のものとなった。日本は直接民主制ではない。間接民主制である。国政を国民のものにするために実現したのが間接民主制の議会制民主主義である。

国民の選挙によって国会議員が選ばれ、国会議員の選挙によって行政府の長である内閣総理大臣が選ばれる。国民の代理として政治を行うのが議会制民主主義の行政府である。首相は国民の代わりに政治を行う存在である。

公務員の選定罷免権が国民の物であるなら議会制民主主義国家では国民の代理である政府に権利がある。政府に権利がないと主張する小沢教授は議会制民主主義における政府と国民の関係を理解していない。こんなのは中学生でも知っていることである。理解していないというより故意に無視していると言った方が正しい。

政府が国民の代理であることを無視している小沢教授は選定罷免権は国民の権利であるといいながら政府には権利はないという。政府と国民は切り離すことができないのに小沢教授は切り離すのである。

政府が国民の選挙によって選ばれた国会議員の代表によって構成されているから国民に近い存在である。それは絶対に否定できない。一方、学者は国民の選挙で選ばれた存在ではない。国会議員と学者の違いは国民が選出したか否かに根

本的な違いがある。日本学術会議会員は国民には選ばれていない学者が選んだだけである。

今の日本学術会議会員は学者たちにさえ選ばれた存在でない。学者たちの代表ではないのである。

１９４９年（昭和２４年）に創設した時は自由立候補制で、部、専門、地方別に登録した研究者が有権者として直接投票を行い、民主的に選出されていた。しかし、１９８４年に直接投票はなくなり、推薦式になった。推薦式にするということは学者から推薦者のみに選出の権利が移ることになり、非民主的な選考になった。

会員候補になるには「登録学術研究団体」に認められる必要があった。会員になるための資格を限定する「登録学術研究団体」という権力組織が新たに登場したのである。日本学術会議の会員になるには「登録学術研究団体」から会員として認められなければならない。自由に立候補することは禁じられ資格を有する限られた候補者だけが「会員候補」に選出されるようになったのである。

民主的な選出が完全になくなった日本学術会議会会員選出である。

２００５年になるとオプテーション方式による選出方法に変わった。現役の会員・連携会員が会員候補者と連携会員候補者を合わせて５名まで推薦する。そこから選考委員会・分科会が１０５人を選考するようになった。

学術会議は最初の時の民主的な選出を破壊し、日本学術会議を牛耳る連中の独裁会議にしていったのである。それをやったのは共産党を中心とする左翼である。学術会議は共産党・左翼が支配し、政府が人事に介入できない強固な組織にしたのである。

菅首相が６人を任命しなかったことを最初に報道したのは共産党の赤旗であったことが判明した。赤旗の報道を左系新聞が大きく取り上げ、左翼野党が一斉に菅政権批判を展開したのである。

菅首相は、学術会議会員は公務員であると言った。その一言で菅首相の狙いが分かった。菅首相は左翼が支配する学術会議を行政改革しようとしている。

10月22日

日弁連会長の「今回の任命拒否及びこれに関する政府の一連の姿勢は、学問の自由に対する脅威とさえなりかねない」声明を徹底批判する

日弁連会長は声明で、

(日本学術)会議は、「わが国の科学者の内外に対する代表機関」(日本学術会議法第2条)である。同法前文においては、「科学が文化国家の基礎であるという確信に立って、科学者の総意の下に、わが国の平和的復興、人類社会の福祉に貢献し、世界の学界と提携して学術の進歩に寄与することを使命」とするとされ、同法第3条には職務の独立性が明定されている。

と述べている。注視しなければならないのは、それは学術会議の会員の使命であることである。会員ではない学者の使命ではない。第3条に明定されている会員の職務とは学術会議で発言し、賛否することである。その職務は政治から独立性があるということである。第2・3条は首相が任命した会員についての職務を述べたものである。3条の職務の独立性も首相に任命されて会員になった学者だけの権利である。首相の任命について規定したものではない。

問題になっているのは日本学術会議の幹部が推薦した105人の中で6人を任命しなかったことである。2、3条は任命された会員について規定しているのだから6人を任命しなかったことを批判する根拠にはならない。

日弁連会長清明

会員選出方法について、設立当初、全国の科学者による公選制によるものとされた。すなわち、職務遂行のみならず、会員選出の場面においても、名実ともに政府の関与は認められていなかった。会議が、一方では内閣総理大臣が所轄する政府の諮問機関とされながら、政府からの高度の独立が認められていたことは、学問の神髄である真理の探究には自律性と批判的精神が不可欠だからであり、学問の自由(憲法第23条)と密接に結び

付くものである。会議の設置が、科学を軍事目的の非人道的な研究に向かわせた戦前の学術体制への反省に基づくと言われる所以でもあろう。

日本学術会議が設立されたのは１９４９年　１月２０日である。７０年以上前である。

設立当初は全国の科学者の公選制よるものであった。日本は議会制民主主義国家である。公選制こそが日本の民主主義の基本である。公選という民主的な手続きで選ばれた学者を政府が無条件で会員に任命したのは当然のことであった。しかし、現在の会員は公選制ではない。民主主義に則っていない会員推薦になっている。菅首相が6人を任命しなかったのは非民主的な手続きに対する警告であると言える。

「会議の設置が、科学を軍事目的の非人道的な研究に向かわせた戦前の学術体制への反省に基づくと言われる所以でもあろう」と日弁連会長は述べているが、学術会議の条令にはそんな条文はない。条文がないのだからこれは日弁連会長の主観である。学術会議が日弁連の主観に縛られる必要はない。

戦後の日本は戦争放棄を宣言し、戦力の不保持を約束した。しかし、侵略されないためには軍隊が必要である。専守防衛の軍隊である自衛隊を設立した。現在は軍隊であっても自国を防衛するための自衛隊は国民が認めている。軍事目的＝非人道は一部の人間の主観である。

学問が自由であるなら軍事目的の研究も認めなければならない。軍事開発に開する科学研究を禁じている学術会議は学問を不自由にしている。日弁連会長は学問は自由ではないと宣言しているに等しい。

日弁連会長は１９８３年の法改正により、公選制が廃止され一部の幹部が推薦した候補者を内閣総理大臣が任命するという方法に変更されたことを強調する。会員の選出方法が民主的に後退したことには目もくれない。そして、中曽根康弘内閣総理大臣が、「政府が行うのは形式的任命にすぎません。したがって、実態は各学会なり学術集団が推薦権を握っているようなもので、政府の行為は形式的行為であるとお考えくだされば、学問の自由独立というものはあくまで保障されるものと考えております。」と答弁したことを強調する。

条例に学術会議が推薦した学者を首相は全員任命しなければならないとは書いてはいない。会長は条令ではなく条令に関する中曽根首相の解釈発言を強調しているだけである。

内閣府は6日に首相が任命の拒否ができるかどうかについての見解をまとめた2018年の内部文書を、野党側に公開した。学術会議の会員が特別職の国家公務員であることを踏まえ、首相が「推薦のとおりに任命すべき義務があるとまでは言えないと考えられる」と結論づける内容である。中曽根首相とは解釈が違ったのである。守るべきものは条令であり中曽根首相の解釈を守る義務はない。学問の自由独立を保障するのは学術会議の会員になった学者への補償であって学術会議の任命の自由ではない。任命が自由であるなら「推薦」をする必要はないし、学術会議が任命し、首相は容認すればいい。しかし、学術会議は推薦し、首相は任命すると条令には明記している。学術会議が推薦した学者を首相は全員任命しなければならないとは条令に書いていない。

日弁連会長は公選制が廃止されて会員が民主的に選出されなくなったことを軽視し、学術会議の幹部が推薦することになった条令を重視している。公選制を軽視する会長には民主主義が欠落している。そして、中曽根首相の解釈を根拠にして菅首相が6人を任命しなかったことを非難している。弁護士でありながら学術会議の法律よりも過去の首相の発言を優先しているのである。法律の専門家らしくない発言である。

日弁連会長は、政府の政策を批判したことを理由に任命を拒否されたのではないかとの懸念を示し、そうであれば政府に批判的な研究活動に対する萎縮をもたらすものであると述べている。ところが任命されなかった6人の学者は記者会見を開き、盛んに政府批判を展開している。萎縮どころか発奮しているのだ。

国会で決めた政策を実現するための行政分野を受け持っているのが政府である。政府の政策を批判するということは政府を批判しているのではなく国会で決めた法律を批判するということである。安保法制や共謀罪創設は国会で決めたことであって政府が決めたことではない。政府は国会で制定した安保法制や共謀罪を遵守する政治を行わなければならない。行政をつかさどる政府の義務である。

学術会議で学問の自由を根拠に安保法制や共謀罪に反対する運動を展開するならば国会で制定した法律を遵守しなければならない行政を乱す。政府の諮問機関である学術会議の会員であるならば国会で制定した法律に反対するのは控えるべきである。それが三権分立の精神である。三権分立を破壊する自由は日本では許されない。

日弁連会長は、任命を拒否された科学者のみならず、多くの科学者や科学者団体が今回の任命拒否に抗議の意を表明していると述べているが、6人を任命しなかった菅首相に賛同する科学者や団体も多くいる。学術会議が学問の自由を奪っていると主張する学者も多く居る。

日弁連会長は、任命拒否及びこれに関する政府の一連の姿勢は、学問の自由に対する脅威になりかねないと結論しているが、左系学者の脅威にはなっても学者全体の脅威にはなっていないし、学問の自由に対する脅威にもなっていないのが事実である。

学術会議＝推薦、菅首相＝任命とそれぞれの権限を学術会議が理解していれば、学術会議は新たに6人以上の学者を首相に推薦するべきであった。新たに推薦をしないで6人を任命しろと首相に強要するのは首相には任命権はなく任命義務しかなくて実質的な任命権は学術会議の少数の幹部にあると宣言しているに等しい。独裁者は学術会議幹部である。会員の任命権が国民の代表である首相にはなく、国民とは関係のない学術会議の学者の一部にあると日弁連会長は主張しているのである。議会制民主主義、三権分立をないがしろにする日弁連会長である。

日弁連会長の主張は安全保障関連法に反対する学者の会と同じである。日弁連も安全保障関連法に反対する学者の会も共産党の支配下にあるのだから当然と言えば当然のことである。

１０月２８日

古賀前連合会長の「学術会議任命拒否は民主主義の危機」は真っ赤な嘘

古賀伸明前連合会長は毎日新聞政治プレミアに寄稿し、日本学術会議の任命拒否問題について「権力者が異論を持つ者に対し人事権を使ったり、何らかの不利益が及ぶ可能性をかざしたりして圧力をかけ、少数意見や反対意見を抑えつけるようでは、民主主義国家は成り立たない」と述べた。笑うしかない。

日本の国民主権は選挙で多数票を獲得した候補者が国会議員となり、国会の過半数の議席を確保した政党が与党となり政権を握る。国民主権の原理は多数決である。

国会では法案を制定する前に賛成反対の意見を述べ合い、最終的に多数決で決める。国会では少数意見や反対意見を抑えつけるようなことはしない。国会で多数決で決めた法律に従って行政の政府が実施する。これが日本の議会制民主主義である。

古賀前連合会長は「少数意見や反対意見を抑えつけるようでは、民主主義国家は成り立たない」と述べているが、国会と政府の役割の違いを理解していない。少数意見や反対意見を主張するのは国会である。行政である政府ではない。国会では押さえつけられることはなく自由に主張できる。国会で自由に意見を述べ合った後に多数決で決まった法律を政府は実施する。政府は行政の世界である。行政は国会の決定に縛られている。自由に政治をすることはできない。不自由なのが政府である。少数意見や反対意見に耳を傾けて、国会で決定した方針を変えるのが民主主義だと古賀前連合会長はいうのだろうか。それこそ政府に独裁政治をしろと主張しているようなものである。立法の国会と行政の政府を区別することができない古賀前連合会長は民主主義を語る資格はない。

「安倍政権の権力の源泉の大きな要素は人事を掌握することだった。この具体的指揮を執ってきたのが当時官房長官の菅義偉首相である。今回の件も、人事権を握ることによって異論を排除するという手法の延長線上にあると言っても過言ではない」

古賀前連合会長の言葉である。

政策を確実に実施するには有能な官僚とスタッフが必要である。政策を理解し実現していくのは官僚・スタッフの任務である。政策に反発したり手抜きするような官僚・スタッフは必要ない。人事権をしっかり握って異論を排除するのは安倍政権だけでなく全ての政権に絶対必要である。政権の政策に異論を持ち反発し、手抜きするような官僚・スタッフを抱えたら、どんなに素晴らしい政策でも失敗して国民の支持を失うだろう。

安倍政権の政治を国民は7年8カ月も支持した。国民の支持以外に政権が続く理由はない。国民に支持されなければ政権は崩壊する。これが議会制民主主義の原理だ。

第1次安倍内閣・福田内閣・麻生内閣・鳩山内閣・菅内閣・野田内閣が短命だった原因は政策が国民に支持されなかったからだ。第二次安倍政権は国民に支持されたから長期政権になったのである。

安倍政権の権力の源泉は国民に支持された政策にある。人事掌握にあるのではない。ところが古賀前連合会長は菅首相が6人を任命しなかったことで「政府に批判的な研究者を排除し、学問の萎縮効果を狙ったとみられても仕方がない」というのである。そして、「常識や既成概念を疑い、現状に疑問を呈す健全な批判精神が学問を深化させ、そのことが社会の発展にも欠かせないはずだ」というが、それは政府ではなく国会で問題にするべきだ。国会と政府を区別することができない古賀前連合会長である。

政府の諮問機関である学術会議は行政にアドバイスするのが使命である。批判精神だけで社会の発展に役立てようとしない学術会議なら政府には要らない。そんな学術会議なら学問の自由な立場から国会へ意見する団体であるべきである。

議会制民主主義、三権分立における国会と政府の役割の違いについて無知な古賀前連合会長である。こんな人間が連合の会長だったとは。

１０月３１日

菅政権は確実に民主的な日本学術会議に行政改革する

菅首相が日本学術会議の推薦学者６人を任命しなかったことで「安全保障関連法に反対する学者の会」が抗議声明を出した。抗議内容は次の通りである。

１、日本学術会議法は政府からの独立性をうたい、首相の任命権を制約している。
２、任命拒否は「学術会議の独立性と学問の自由を侵害する許しがたい行為。
３、学問的研究と業績評価による会員の選考に政治が介入することはあってはならず、学問への冒瀆行為。
４、民主主義と立憲主義を破壊する違法行為。
５、学術共同体に政権が関与し、忠誠心にもとづきイエスマンを集めれば反抗する人がいなくなり管理しやすくなる。日本の発信力を損ない、世界における評価や国力を下げる行為。

「安全保障関連法に反対する学者の会」が存在するのには驚いた。安全保障関連法は２０１５年に成立している。成立した法律に反対しているのが共産党である。共産党が反対するのは分かるが学者が反対するのはおかしい。安全保障について詳しく解明し発表するのが学者の役目である。国民が選んだ国会議員が採決した法律に学者が反対する団体を結成するのはおかしい。学者の会というより共産党と同じイデオロギーの政治団体である。

「安全保障関連法に反対する学者の会」は２０１５年６月に結成。第３次安倍内閣によって進められている平和安全法制に反対することを目的として活動している。団体の呼びかけ人は、大学教授や弁護士などといった学者であり、平和安全法制というのは違憲であると主張している。憲法９条の元で持続してきた平和主義を捨て去る暴挙であるとも主張している。

２０１５年１２月には他の安全保障関連法に反対する複数の団体と「安全保障法制の廃止と立憲主義の回復を求める市民連合」を結成。まさしく政治団体である。

「安全保障関連法に反対する学者の会」が菅首相を批判する根拠にしているのが違法行為、憲法違反、非民主主義である。この会が根拠にしないのが議会制である。日本は議会制民主主義国家である。国民の選挙によって選出された議員が法律を制定し、政治を行う。三権分立がしっかりしていて立法の国会、行政の政府、司法の裁判に分かれている。行政は三権分立の中の一つの政権を受け持っている。

日本が議会制民主主義国家であり、菅政権は行政を担当している政府であることを念頭において「安全保障関連法に反対する学者の会」の主張を批判する。

安保保障関連法
2015年9月に国会で成立した安全保障に関連する一連の法律。
戦後の歴代政権は集団的自衛権の行使を認めてこなかったが、安保法により、政府が日本の存立が脅かされる明白な危険がある「存立危機事態」と認定すれば、日本が直接攻撃されなくても、自衛隊の武力行使が可能になった。
「安全保障関連法に反対する学者の会」は2015年9月に国会で成立した法律に反対する会である。

1、日本学術会議法は政府からの独立性をうたい、首相の任命権を制約している。

国会で制定した法律に反対する学者の会が日本学術会議という非民主的な会議でつくられた法律に政府は違反していると批判するのである。問題は日本学術会議が政府から完全に独立しているか、首相の任命権に任命しない権利があるかどうかである。

日本学術会議が政府から完全に独立しているなら政府とは関係のない団体であるのだから首相には任命権はない。本当は独立していないから首相に任命権があるのである。独立論はすでに橋下徹氏に論破されている。


松宮孝明「日本学術会議は完全に独立した組織で、

政府に諮問されたりする審議会ではない」
橋下徹「日本学術会議関係法令の4条に〝政府は日本学術会議に諮問することができる〟と書いてあるじゃないですか」
松宮孝明「いや3条では独立・・・」
橋下徹「4条にハッキリと諮問と書かれている」

日本学術会議法の第二章職務及び権限の第三条では、「日本学術会議は、独立して左の職務を行う」と書かれている。独立というのは職務及び権限に於いてである。会議している時に政府が介入しないことなどの会議の独立性のことである。

第一章設立及び目的の第一条2には「日本学術会議は、内閣総理大臣の所轄とする」と明記してある。総理大臣が所轄しているのだから独立しているはずがない。3条を拡大解釈しているのが独立論である。法律に詳しい学者が騙しているのである。

2、任命拒否は「学術会議の独立性と学問の自由を侵害する許しがたい行為。

日本学術会議は総理大臣の所轄権限である。会員は菅首相が言ったように公務員である。任命権は首相にある。だから99人を任命した。任命権を行使したのである。6人は任命権を行使しなかった。任命拒否ではない。行使しなかっただけのことである。行使するかしないかは首相の権限である。学術会議が推薦した学者を全員任命しなければならないのなら任命権は首相ではなく学術会議あるということになる。首相には任命権がないことになる。所轄する首相に任命権がないのはあり得ないことである。

学術会議は学問をする場ではない。提起された問題に学者たちが意見を述べ合い、結論を出す場である。学問をしない場では学問の自由を奪うことはできない。

3、学問的研究と業績評価による会員の選考に政治が介入することはあってはならず、学問への冒瀆行為。

会員の選考は学問的研究と業績評価を基準としていない。現会員が自分の後継を選ぶようになっている。会員の選考は現会員がやっている。政治は一切介入していない。会員の選考に政府が参加するということは会員候補を選ぶときから関わるということである。しかし、政府は候補者選びに関わっていない。105人に絞る時も関わっていない。105人の中から99人を任命した時にだけ関わっただけである。たった6人を任命しなかっただけで学問への冒瀆と決めつける「安全保障関連法に反対する学者の会」の方が学術会議を統括する立場にある政府を冒瀆している。

4、民主主義と立憲主義を破壊する違法行為。

「安全保障関連法に反対する学者の会」のいう民主主義は議会制民主主義のことではない。議会制を否定した民主主義である。

憲法への違法行為であるのなら裁判をすればいい。しかし、裁判をしない。裁判で憲法違反の判決には絶対にならないからだ。つまり違法行為ではない。

5、学術共同体に政権が関与し、忠誠心にもとづきイエスマンを集めれば反抗する人がいなくなり管理しやすくなる。日本の発信力を損ない、世界における評価や国力を下げる行為。

政府は国会で決めた法律に従って政治を行う場である。国会の決定へのイエスを基本とする。国会へのノーは許されない。政府そのものが国会へのイエスマンである。そうでなければ政治が混乱し、国が乱れる。立法＝国会、行政＝政府が議会制民主主義国家日本の分権の法則である。行政の政府に必要な学者はイエスマンである。行政を乱すノーマンは要らない。

「安全保障関連法に反対する学者の会」は政府に日本学術会議は必要ないと主張しているに等しい。

行政改革を宣言した菅首相は「会員は公務員である」と言った。菅首相の重い言葉である。日本学術会議が政府が管轄するのにふさわしい団体であるかの検討が始まったのだ。ふさわしくないと判断すれば政府にふさわしい日本学術会議に行政改革していく。確実に。

これほどまでに経済を悪化させる新型コロナの感染力は非常に強い。

新型コロナウイルス対策は感染拡大防止と経済復興の非常に困難な闘い

厚労省で結成した世界初であるクラスター対策班によるクラスター潰しは素晴らしい効果があった。

感染症専門家はクラスター拡大防止にほとんど貢献しなかったのに専門家という権威で威張っている。

経済復興のためには人の接触が増えるからコロナ感染は広がる。コロナ感染をできるだけ抑えながら経済復興を目指すのが政治である。長く困難な闘いがワクチン接種完了まで続くだろう。

１２月３日

菅政権への感染専門家、医師会、マスメディアの無知な圧力

政府の「Ｇｏ　Ｔｏトラベル」に対して感染専門家、医師会、マスメディアからの批判が相次いでいる。無知な批判には頭に来る。

米ジョンズ・ホプキンス大の集計【世界の新型コロナの国別感染者・死者数】である。

	感染者数	死亡者数
米国	１２，７７２，６５３人	２６２，２２２人
インド	９，２６６，７０５人	１３５，２２３人
ブラジル	６，１６６，６０６人	１７０，７６９人
フランス	２，１６７，１３３人	５０，３０５人
ロシア	２，１４４，２２９人	３７，１７３人
スペイン	１，６０５，０６６人	４４，０３７人
英国	１，５６０，８７２人	５６，６３０人
イタリア	１，４８０，８７４人	５２，０２８人
アルゼンチン	１，３０９，３８８人	３７，７１４人
コロンビア	１，２７０，９９１人	３５，８６０人
メキシコ	１，０７０，４８７人	１０３，５９７人
ドイツ	９９５，８７９人	１５，２１０人
ペルー	９５２，４３９人	３５，６８５人
ポーランド	９４２，４２２人	１４，９８８人
イラン	８９４，３８５人	４６，２０７人
南アフリカ	７７５，５０２人	２１，２０１人
ウクライナ	６８０，１３２人	１１，８５７人
ベルギー	５６４，９６７人	１６，０７７人
チリ	５４４，０９２人	１５，１３８人
イラク	５４２，１８７人	１２，０８６人
インドネシア	５１１，８３６人	１６，２２５人
オランダ	５０６，５５７人	９，１８５人
チェコ	５０５，２１５人	７，６１１人
トルコ	４６７，７３０人	１２，８４０人
バングラデシュ	４５４、１４６人	６，４８７人
日本	１３７，２６１人	２，０２２人
中国	８６，４９０人	４，６３４人
韓国	３２，３１８人	５１５人

１１月２６日発表

世界と比較するとコロナ感染者・死者が非常に少ない日本である。しかし、感染専門家、医師会、マスメディアはこの事実を無視して、医療崩壊の

危機を警告し、ＧＯ ＴＯトラベルを中止するよう政府に圧力をかけている。

「病床占有率がいつ３０％から１００％になるかも分かりません」と感染症対策分科会の専門家が言うのである。３００人の感染者がいつ１０００人になるかも分からないと言っているようなものである。呆れてしまう。

日本の感染者は１３７，２６１人、死者は２０２２人である。欧州ではコロナ対策が優秀であると言われているドイツでさえ感染者は９９５，８７９人、死者は１５，２１０人である。感染者は１０分の１、死者は１３分の１の日本である。日本のコロナ感染が非常に少ないことは歴然としている。日本が医療崩壊危機であるならば米国からトルコまではすでに医療崩壊していて当然である。しかし、医療崩壊をしているという報道はない。日本より１０倍以上も感染者が出ているのに医療崩壊はしていない。日本の医療体制には大きな欠陥があるのだろう。

新型コロナ感染者数と死者数、ワクチン供給契約の締結件数、検査能力、移動制限のレベルなど１０項目の指標で日本はニュージーランドの次の２位である。コロナ時代に住みやすい国では１位はニュージーランド（８５．４点）で、２位は日本（８５．０点）、３位は台湾（８２．９点）である。

世界は日本の新型コロナ対策を評価している。ところが日本の感染専門家、医師会、マスメディアは評価していない。逆にＧＯ ＴＯトラベルが感染拡大しているから中止しろと政府に圧力をかけている。菅政権は新型コロナ対策に失敗しているイメージを国民に与えている。

菅政権を批判している専門家、医師会、マスメディアがコロナ感染拡大を防いでいると思うだろうがそうではない。感染拡大を防いでいるのは三者ではなく菅政権である。

菅政権は２月２６日に押谷仁東北大教授を中心とするクラスター対策班を厚労省に設置した。設置した時の厚生労働省の告知である。

新型コロナウイルス感染症について、今後、感染の流行を早期に終息させるためには、患者クラスター（集団）が次のクラスター（集団）を生み出すことを防止することが極めて重要であることが、本日策定された「新型コロナウイルス感染症対策の基本方針」においても示された。
このため、本日、クラスターが発生した自治体と連携して、クラスター発生の早期探知、専門家チームの派遣、データの収集分析と対応策の検討などを行っていくため、国内の感染症の専門家の方々で構成される「クラスター対策班」を、別添のとおり立ち上げました。

厚労省はこの告知を報道関係者各位に通知している。しかし、マスメディアはクラスター対策班設置の報道はしなかった。有効なコロナ対策ではないと思ったからだろう。

クラスター対策班が徹底したのがクラスター潰しである。新型コロナ感染は密室空間で一人から多人数に感染することを押谷教授は発見した。コロナ感染者が見つかると感染者がどこの密室で感染したかを調査し、密室場所を見つけると関係者をＰＣＲ検査した。感染者が見つかるとその人と濃厚接触した人を見つけＰＣＲ検査をした。

厚労省はコロナ感染は密室で感染することを国民に伝える広告をやった。密室空間、密室場所、密接場面の三蜜をつくらないようにメディアを通じて国民を指導した。

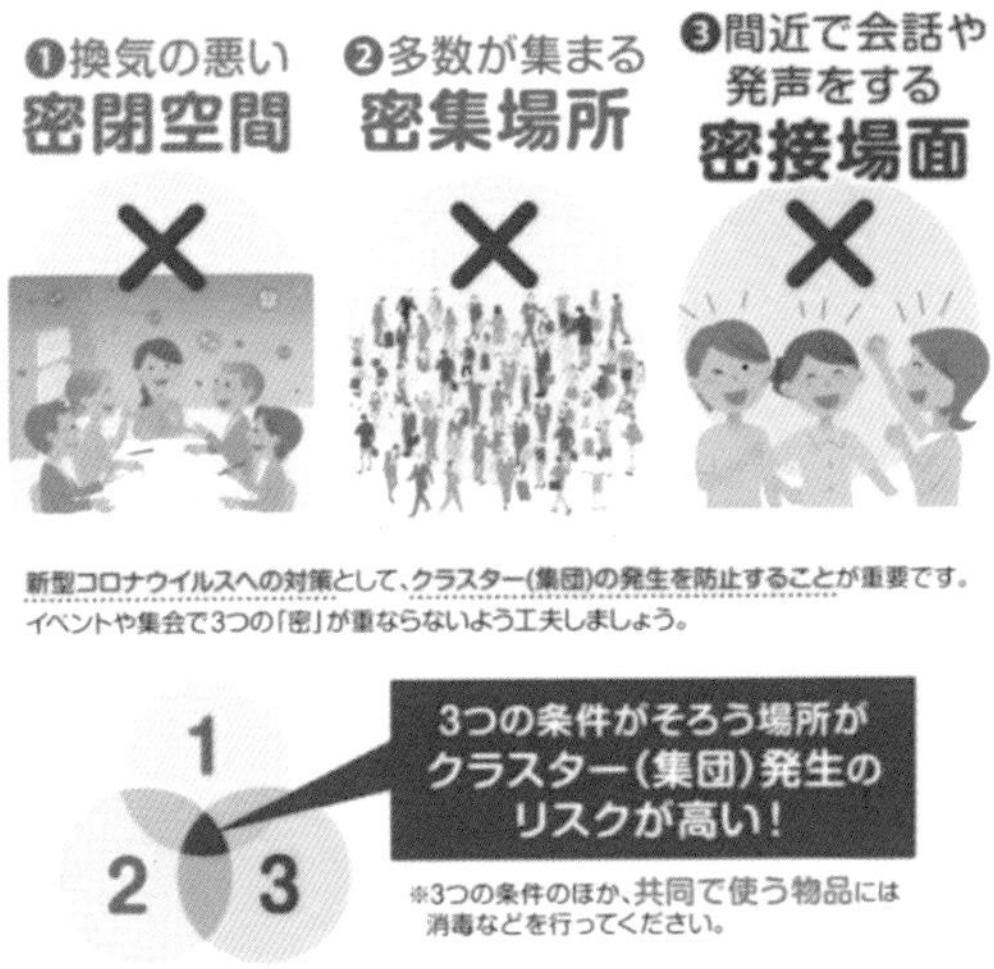
❶換気の悪い
密閉空間
❷多数が集まる
密集場所
❸間近で会話や
発声をする
密接場面
新型コロナウイルスへの対策として、クラスター(集団)の発生を防止することが重要です。
イベントや集会で3つの「密」が重ならないよう工夫しましょう。
1
2
3
3つの条件がそろう場所が
クラスター(集団)発生の
リスクが高い!
※3つの条件のほか、共同で使う物品には
消毒などを行ってください。

クラスター対策班によるクラスター潰しと三蜜回避の広告の効果があったから、日本の感染者数は世界の中で非常に少ないのだ。三蜜は流行語大賞を取るほどに国民に浸透した。

クラスター対策班のクラスター潰しと感染回避の国民への浸透が感染拡大を防ぎ、世界で感染者が少ない国になったのである。

感染専門家は日本の感染者が少ないのはＰＣＲ検査が少ないからと政府を批判し、ＰＣＲ検査を増やせと要求した。ＰＣＲ検査を増やせば感染者は増える。隠れ感染者が一万人を超すというのが感染専門家の予想だった。クラスター潰しの効果を認めなかった専門家はＰＣＲ検査拡大を要求し続けるだけであった。医師会とマスメディアも専門家会議と同じでＰＣＲ検査崇拝者だった。

過去の感染病よりも新型コロナは感染力が非常に強い。経済復興を目指せば人の交流が盛んになるからコロナ感染は拡大する。コロナと経済を両立させる方程式はない。両立は不可能だ。日本政府は不可能なコロナと経済の両立を手探りしながら目指さなければならない。これは日本にとって歴史上初めての体験である。経済復興はコロナ感染に及ぼす影響を調査しながら、半歩半歩前進していかなければならない。

政府の観光支援事業「Ｇｏ　Ｔｏトラベル」による人の移動の増加が急激なコロナ感染拡大の原因だと、医師や専門家は事業の一時停止を求めている。しかし、医師や専門家はＧｏ　ＴＯトラベルがどれだけ新型コロナ感染を拡大させたかを科学的に説明しない。科学的に説明しないで感染拡大はＧＯ　ＴＯトラベルのせいであると決めつけて政府に一時停止を求めているのである。政府は「延べ４０００万泊超の利用」に対して感染者が２６日時点で２０２人にとどまると発表した。政府は具体的な数字を出した。医師や専門家は客観的な数字は出していない。そんなことでは政府批判は成立しない。

コロナ感染率が全国で３番目の沖縄県が７月～１１月１８日公表分までの新型コロナウイルス感染者の推定感染源を発表した。
家庭＝２８・２％・接待を伴う飲食＝２１・９％
会食＝１８・７％。ＧＯ　ＴＯトラベルと関係の深い「県外からの持ち込み」は２・８％。

沖縄県の感染源調査ではＧＯ　ＴＯトラベルが感染拡大の原因ではないことがはっきりと示されている。

感染専門家や医師会がＧＯ　ＴＯトラベルが感

染拡大の原因だと主張するなら証拠となる資料を明示するべきである。証拠もなしに思い込みで政府に圧力をかけているのが専門家、医師会、マスメディアである。非科学的で無責任である。

朝日新聞は「新型コロナウイルス感染者が増えた都市を封鎖し、感染源を断つ。いわゆるロックダウンが世界中で強行されるなか、日本では政府や自治体から『自粛の要請』という形での感染対策が行われている」と報じた。朝日が指摘している通り世界中でロックダウンが強行されている。ドイツでもロックダウンを来年1月10日まで延長すると発表した。延長する理由は一日の死者数が487人と過去最多を記録したからである。死者数が日本のように32人以下であればドイツはロックダウンをしない。世界の国々もしないだろう。日本がロックダウンをしないのは菅政権が優れたコロナ対策をしてきたからである。死者数の比較をしないで、世界がロックダウンするのに菅政権はしないと批判する朝日は報道機関として失格である。

「GoToトラベルを中止できないのは、菅首相が官房長官時代から旗振り役になって進めてきた“肝いりの看板政策”であるから、首相の面子もあって、なかなか中止には踏み切れない」と指摘するマスメディアは多い。コロナ感染が爆発すれば政権崩壊である。菅首相は面子で政治をしていない。菅政権がコロナ対策に真剣に取り組んでいることを理解できないマスメディアである。呆れるしかない。

政府は、観光支援策の「GoToトラベル」事業を来年の6月末まで延長する方針を固めた。新型コロナウイルス感染拡大で打撃を受けた飲食業の支援策「GoToイート」のうち、地域限定のプレミアム付き食事券の事業についても実施期間の延長を行う方針を固めた。菅政権は困難な経済復興を半歩半歩前進している。

専門家、医師会、マスメディアの無知な圧力を跳ね除けてコロナ感染で大打撃を受けている第三次産業の復興に真剣に取り組んでいるのが菅政権である。

１２月１７日

菅政権批判に埋没の愚かな日本マスメディア

伝染病専門家、医師会、マスメディアはコロナ感染者が増えた原因は菅政権のＧＯ　ＴＯトラベルにあると、ＧＯ　ＴＯトラベルを停止するよう菅政権に要求した。連日菅政権批判が報道され続けた。

菅内閣の支持率が大幅に下がった。毎日新聞の世論調査では菅内閣の支持率は４０％で前回調査の５７％から１７ポイント下落した。不支持率は４９％（前回３６％）で、菅内閣発足後、不支持率が支持率を上回ったのは初めてである。

菅政権は「Ｇｏ　Ｔｏトラベル」について、１２月２８日～１月１１日まで全国一斉停止を決定した。マスメディアは菅政権の決定を歓迎するはずであるが、歓迎することはなく今度はＧｏ　Ｔｏトラベル停止決定への批判の連続である。「攻めのＧｏ　Ｔｏ停止っていうより、追い詰められてのＧｏ　Ｔｏ停止みたいなところがある」と、菅政権がＧｏ　Ｔｏ停止したのは支持率が落ち、持論である「コロナ感染防止と経済活性化の両立」にいったん白旗を掲げた格好だと述べ、その背景には支持率急落があるというのである。重要な問題はコロナ対策である。菅政権の支持率が下がったから政策転換しようがしまいがＧｏ　Ｔｏ停止したことを歓迎し、コロナ感染の拡大が止まることに注目するべきである。ところがマスメディアの目はＧｏ　Ｔｏ停止によってコロナ感染拡大がストップするか否かに向いていない。菅政権がＧｏ　Ｔｏトラベルを停止した菅政権批判に固執するのである。

マスメディアはコロナ感染よりも菅政権の失敗探しに固執しているのである。

Ｇｏ　Ｔｏトラベル停止を発表した直後にマスメディアは旅館やホテル、旅行代理店の悲鳴ばかりを強調した。Ｇｏ　Ｔｏトラベルを停止すれば旅行関連業界への打撃が大きくなることは誰にでも予想できることである。Ｇｏ　Ｔｏトラベルを停止すれば旅行関連が大きな打撃を受けてもいいからＧｏ　Ｔｏトラベルを停止しろと菅政権に圧力をかけたのはマスメディアではなかったか。ＧｏＴｏトラベル停止で旅行関連が大きな打撃が受けるのは菅政権に圧力をかけたマスメディアの責任の方が大きい。それなのに菅政権の責任だと国民に印象づけるマスメディアである。

ＧｏＴｏトラベルを実行すればコロナ感染を拡大させると菅政権を批判し、停止すれば旅行関連が被害を受けると批判する。それがマスメディアの実態である。

演説でドイツ国民をコロナと闘う決心をさせたメルケル首相とネットで「ガースー」とニコニコ顔をした菅首相とは格が違うと述べているマスメディアは多い。

女性自身は「日本と真逆。ドイツのロックダウンに「国民が批判しない理由」」で、メルケル首相を称賛し、菅首相を批判した。

メルケル首相演説の、

「(クリスマスマーケットの) ホットワインやワッフルの屋台がどれほど恋しいことでしょう。外食できずに持ち帰りだけが許されるなんて納得できないこともわかっています。ごめんなさい。で本当に心の底から申し訳ないと思っています。でも、毎日590人の死者という代償を払い続けることは、私には受け入れられないのです。(中略) クリスマス前に多くの人と接触したせいで、『あれが祖父母と過ごす〝最後〟のクリスマスだった』なんてことにはさせたくない、それだけは避けたいのです」

を紹介し、メルケル首相は魂のスピーチで「ドイツではこれまで『もしクリスマスにロックダウンになれば暴動が起こる』と言われていました。でも、実際にロックダウンが決まったら、暴動どころか国民が一丸となってコロナと戦おうとしています」と述べている。

メルケル首相の演説は素晴らしい。彼女は東ドイツで物理学の学者であった。事実を明確に述べ、厳しいロックダウンをしなければならないことを理路整然と話した。女性自身はメルケル首相と菅首相の格の違いを強調しているが、なぜメルケル首相がロックダウンしなければならないかの理由を指摘していない。メルケル首相は毎日「590人の死者」を出していると述べている。感染者ではない。死者が590人である。女性自身はメルケル首相の演説の次の部分を掲載していない。
「我々がこの予算案を最初に議会で審議した９月２９日には、１日あたりの新規感染者数は１８２７人、集中治療室（ＩＣＵ）で治療を受けていた重症者は３５２人、この日の死者は１２人でした。しかし１２月８日には、新規感染者数が２万８１５人に達しました。ＩＣＵで治療されている重症者は４２５７人。１日で５９０人が亡くなりました」

９月２９日には死者が１２人だったのにわずか３カ月にもならないのに５９０人になったのである。もし、日本でドイツと同じようになったら菅首相は「ガースー」とニコニコ顔をするはずがない。女性セブンは１日で５９０人の死者が出たというドイツと４０人の死者が出ている日本を比較しない。

菅首相がニコニコ生放送で「ガースー」と言ったのは１１日だったが、その日の日本の感染者は３，０３９人で死者は２８人だった。ドイツの感染者は２万８１５人、死者は５７０人である。日本が圧倒的に少ない。この事実を無視して、菅首相批判を展開するのである。ドイツの人口は８３０２万、日本の人口は１億２６５０万人と日本の方が４０００万人も多い。日本のコロナ死者がドイツより圧倒的に少ないのを無視するのが女性自身をはじめ日本のマスメディアである。

日本もドイツと同じようなコロナ対策をしていたらドイツのように一日に５３０人の死者が出ていた可能性があることをなぜマスメディアや専門家、医師会は予想しないのか。日本とドイツのコロナ対策の違いは何なのか。そのことを調べることが、メルケル首相の演説と菅首相のネット発言を比べることより何百倍も重要である。日本のコロナ対策とドイツのコロナ対策は格が違う。ドイツより何十倍も質の高いクラスター潰しと三蜜回避のコロナ対策を日本の政府はやった。だから死者が圧倒的に少ない。この事実を日本のマスメディアは無視するし、感染専門家もクラスター潰しと三蜜回避を高く評価することはない。専門家はクラスター潰しと三蜜回避がコロナ感染拡大を押さえる効果があることを知らなかった。知っていたのは押谷教授が指導するクラスター対策班だけであった。

２月３日に横浜港に入港したクルーズ船ダイアモンドプリンセス号に対し、日本政府は乗員乗客の下船を許可しなかった。政府は「絶対に感染者を上陸させない」という方針に徹していたからだ。１４日間の検疫が行われたが、その間に新たなコロナ感染者が出た。船内で感染者が増えたことで世界から日本政府は批判された。日本の専門家も批判した。しかし、政府のやり方がイタリアのようなコロナ感染激増を防いだのである。

３月１６日のブログに「イタリアの感染拡大を助長した愚かな日本医療ガバナンス研究所理事長上昌広」を掲載した。

上昌広は医療ガバナンス研究所理事長であった。上氏はクルーズ船ダイヤモンド・プリンセス号で船客をクルーズ船に閉じ込めたことを専門医としての立場から徹底して政府を批判している。上氏が日本とイタリアの対応の違いを述べた時にイタリアで感染者が急増した理由の一つが分かった。

上昌広氏の文章。

今回の新型コロナウイルスの流行においては、地中海のクルーズ船「コスタ・スメラルダ」（総トン数１８万５，０１０トン）で、乗客に発症が確認され６，０００人強の乗客乗員が一時足止めされるという事件が発生している。

イタリア政府の対応は日本とは全く違った。２名の感染者について処置をした後、１２時間で乗客は解放された。

なぜ、イタリアと日本はこんなに違うのだろう。私は経験の差だと思う」

上氏はイタリア政府の対応を称賛しているが、その時に多くの感染者がイタリアに上陸しコロナ感染を拡大したのである。世界に非難された日本政府であったが後には世界に評価された。日本政府はクルーズ船対策に見られるように中国でコロナ感染が激増した時からコロナ対策を研究していたのである。だからコロナ感染者が出たクルーズ船が寄港した時に「感染者は絶対に上陸させない」方針に徹したのである。

マスメディアは政府のクルーズ船対策を批判し、クラスター対策班のクラスター潰しと三蜜回避の効果を外国と比べることはしなかった。マスメディアは、日本が感染者が非常に少ない原因を解明しない。ひたすら菅政権批判に徹している。

政府は「勝負の3週間」としたが感染者は増え、Ｇｏ Ｔｏトラベルは停止した。政府は敗北したとマスメディアは批判する。その通りである。政府は敗北した。コロナ感染拡大を押さえながらＧｏ Ｔｏトラベルを続けていき経済復興を進めようとしたが予想以上に感染は広がった。政府の敗北である。政府のやり方を「場当たり的」と見る向きもある。

観光支援策「Ｇｏ Ｔｏ トラベル」の来年1月11日までの年末年始の全国一律の停止について、1月11日の停止の後、どういう状況だったら延長するかそれとも再開するかを決めるか質問された菅首相は、その時の状況を見てから、専門家の判断に従うと言い、決めるのはいつ頃かという質問には、「コロナは、どうなるかということは今、誰1人わかっていないんですね。可能性はこうなるだろうということを先生方、思ってますから、そういう中、状況を見てからでないと判断できないと思います」と答えた。文字道理いきあったりばったりにやるという態度である。しかし、そのように答えるしかない。新型コロナの感染は人類が初めて体験する感染病である。コロナ感染対策は経済との関連でいきあったりばったりに見えるほどブレーキとアクセルを交互に踏み続けなければならない。

新型コロナの性質を研究し、効率の高い対策を実施してきたのは日本政府である。国民に強制できないので罰金刑のない要請でコロナ対策をしてきた日本政府である。要請に応じた国民のお陰でコロナ対策は他の国よりうまくいったが、経済復興政策によって感染が拡大した。コロナは無症状の若者が多く、感染拡大を止めるのは至難である。

菅政権は1月11日まで感染拡大が止まらなければブレーキを踏んでもっと厳しいコロナ対策をしなければならないし、感染が減少していけばＧＯ ＴＯトラベルの再開を目指すだろう。

マスメディアは政府を批判する前に新型コロナ感染を防ぐのが非常に困難であること、経済が破綻すればコロナ感染よりも国民被害が大きくなることを認識するべきである。

12月20日

日本のコロナ感染が少ない決定的な理由

日本の保健当局が、来年2月末に新型コロナウイルス感染症ワクチン接種を開始できるように、各自治体に体制整備を指示したことが18日明らかになった。厚生労働省は、全国都道府県や市町村ワクチン接種の体制整備計画案を伝達した。

イギリス、米国などではワクチン接種が始まっている。厚生労働省はファイザーワクチンの有効性と安全性を迅速に審査するが、米英で承認されているから審査は簡略化し、2月にも摂取できるように進めている。

専門家、医師会、マスメディアは感染の広がりに歯止めがかからない状態に陥いったと主張し、GO TOトラベル停止を要求した。菅政権はGO TOトラベルを停止した。泥沼に陥った中でのワクチン接種は朗報である。

マスメディアはワクチン接種の朗報を大々的に記事にすると思っていた。ところがマスメディアはワクチン接種ではなく菅政権批判に固執している。不思議である。

日本はコロナ感染者数が圧倒的に少ない。米ジョンズ・ホプキンス大の19日の集計である。

	感染者数	死亡者数
米国	17,206,647	310,699
インド	9,979,447	144,789
ブラジル	7,110,434	184,827
ロシア	2,736,727	48,568
フランス	2,483,524	59,733
トルコ	1,955,680	17,364
英国	1,954,268	66,150
イタリア	1,906,377	67,220
スペイン	1,785,421	48,777
アルゼンチン	1,524,372	41,534
コロンビア	1,468,795	39,787
ドイツ	1,454,009	25,027
メキシコ	1,289,298	116,487
ポーランド	1,171,854	24,345
日本	190,138	2,783

日本はバングラデスの次で27番目である。表で分かるように日本は他の国より一桁少ないのだ。日本はなぜ少ないのかを日本の感染専門家や学者、マスメディアはまだ解明できていない。解明できない状態で菅政権のGO　TOトラベルが感染拡大の原因だと主張し、菅政権はコロナ感染に真剣に取り組んでいない、いきあったりばったりであると批判する。ジャーナリストの　沙鴎一歩氏はマスメディアに疑問を投げかける。

朝日社説「政策を転換する時だ」

東京社説「遅きに失した決断だ」

毎日社説「後手に回った責任は重い」

読売社説「感染抑止優先で安心を与えよ」

産経社説「28日まで待つ必要あるか」

日経社説「GoTo停止でも続く医療逼迫の不安」

JBpress 対コロナで大戦時の失敗繰り返す「亡国の菅内閣」

「表現の温度差はあるものの、どの社説も「感染拡大が続く状況下でGo　To停止の決断が遅すぎた」と批判する。左から右まで新聞社説がここまでそろって批判的なのは珍しい」と沙鴎一歩氏は述べる。

日本のコロナ感染者が少ない原因ははっきりしている。厚労省のクラスター対策班によるクラスター潰しの全国展開と「感染を防ぐために「密閉」「密集」「密接」の3蜜を避けること、手を消毒することを国民に広めたことである。

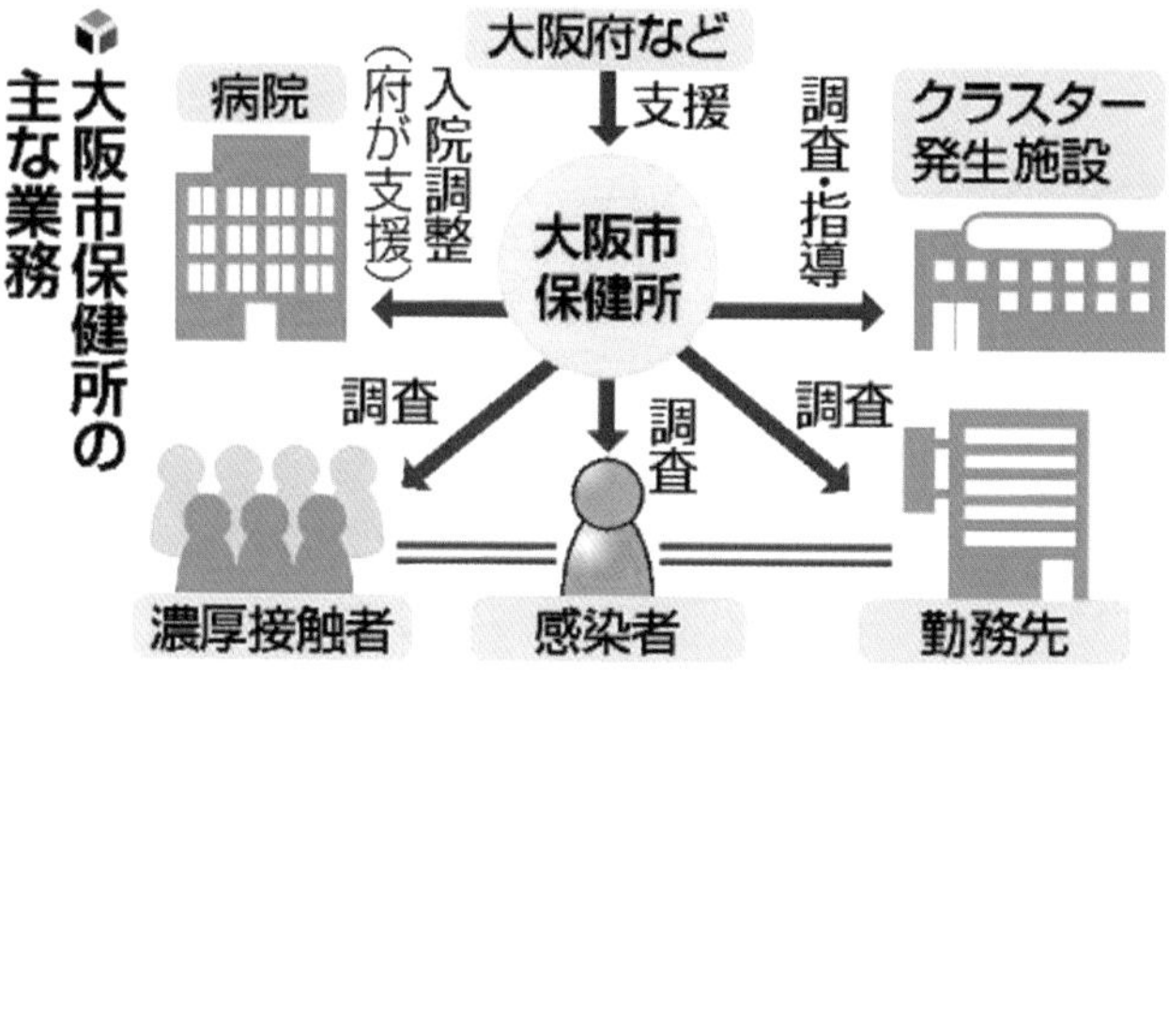

クラスター潰しは大阪だけでなく保健所が全国展開している。

クラスター潰しの特徴は感染者を見つけた時に感染したクラスター(蜜集会)を見つけることと、感染者が濃厚接触したクラスターを見つけてPCR検査をすることである。勤務先だけでなく、感染者が参加した集団の濃厚接触者を見つけてPCR検査をする。保健所によるクラスター潰しが外国のような感染拡大を押さえている。それができたのは新型コロナの性質を知り抜いている東北大学の押谷仁教授が居たからである。

2020年3月10に発表した「クラスター対応戦略の概要」に新型コロナの性質と感染拡大を押さえるのにクラスター潰しが有効であることを押谷仁教授は詳しく説明している。

押谷教授は新型コロナウイルス感染症は、2003年に流行した重症急性呼吸器 症候群(SARS)とは病原性・感染性が大きく異なることを最初に指摘している。

SARSはほとんどの感染者が重症化したため感染連鎖を見つけ出すことが容易で、最終的にはすべての感染連鎖を断ち切り世界的に封じ込めに成功したという。しかし、新型コロナは病原性は低く、軽症者や無症候感染者も多く存在する。致死率も相当低い。しかし、感染性はパンデミックを起こすのに十分なほどに高く、そのために武漢とその周辺の大流行につながった。むしろ病原性が低いことが、感染性の高いことにつながっている可能性があると押谷教授は述べている。押谷教授は中国でコロナ感染が拡大した時に新型コロナについて研究していた。そして、新型コロナの感染のしかたを見つけたのである。

当初からの謎は、接触者調査において、ほとんどの接触者からコロナ陽性者が出ないことであった。同様のデータは香港・シンガポール・ヨーロッパでも得られていた。

だから唯一の合理的な説明は、一部の感染者が多くの2次感染者を生み出してい るということである。つまり、通常の感染者の多くはほぼ2次感染者を生み出さないが、感染者のごく一部が2次感染者を数多く生み出すという、いわゆるクラスター(患者の集積)の発生が、流行につながっていると考えられる。

「押谷教授」

新型コロナは軽症例・無症候感染例が多い。そのために感染を防ぐことが非常に難しい。感染者を早く見つけて隔離するだけでは感染拡大を防げない。欧州で行ったのがその方法である。そのためにコロナ感染が拡大した。

コロナ対策をより効果的に行うには、「感染者が誰から感染したかを認識できること、あるいは調査によってリンクが明らかであること」が重要であると押谷教授は強調する。

濃厚接触者を見つけて検査すること。そして感染元を見つけることがコロナ感染拡大を防ぐ。それがクラスター潰しである。

コロナ感染では感染者が誰から感染したのかをはっきりと認識できていない例が多く見られる。そのことにより感染源を認識できないままに感染連鎖が継続すると、感染連鎖を検出することは困難になる。 日本ではいったんは見失った感染連鎖が2月13日以降に急速に可視化できるようになっ た。まだ、国内の感染状況の全体像はつかめていないが、少なくともこれまでのデータからは、国内全体で大規模な感染連鎖が起きている可能性は低い。

「押谷教授」

2月26日にクラスター対策班が設立された。徹底したクラスター潰しでコロナ感染は欧州のように拡大することはなかった。日本が世界に比べて感染者が非常に少ないのは三蜜回避とクラスター潰しをしたからである。

欧州で感染者が激増したのは症状の出た人を中心にPCR検査をするだけで、 軽症者や無症状者を放置したからである。

日本の感染専門家は欧州の感染学を学んだ専門家たちである。欧州の感染理論では感染病を防ぐ方法はPCR検査して陽性者を隔離することと人の接触をさせないロックダウンである。ロックダウンをすれば経済が破綻する。ロックダウンは最後の手段である。WHOはコロナ対策としてPCR検査をするように世界に発信した。ロックダウン以外のコロナ感染拡大を防ぐのはPCR検査しかないと考えていたからだ。しかし、PCR検査は少数しか検査できず、検査は限られていた。そのためにコロナ感染は激増していった。

日本だけはクラスター潰しのために症状のない濃厚接触者もＰＣＲ検査した。世界はＰＣＲ検査が少ないと日本を非難したが、、クラスター潰しのＰＣＲ検査はコロナ感染拡大防御に一番有効な方法であった。クラスター潰しをしなかった国々はコロナ感染が激増した。

クラスター潰しには弱点がある。

「若年層は重症化率が低いので、 若年層でのクラスター連鎖は相当進行しないと検出されない可能性がある」と押谷教授は指摘している。そして、「クラスター連鎖は一般に人口の多い都市部で起こる可能性が高い」とも指摘している。押谷教授の危惧が東京と大阪で現実となった。軽症、無症状若者の感染者が増えたためにコロナ感染が拡大したのである。しかし、保健所を中心にクラスター潰しは強化していったから外国のように激増するのは防いだ。

欧州、米国のコロナ感染が激増した原因は感染者が少ない時に軽症者、無症状者を放置したからである。日本は感染者の濃厚接触者であれば全員ＰＣＲ検査をした。だから感染者は激増しなかったのだ。クラスター潰しの方法を見つけることができなかったヨーロッパ、米国などの国々は感染が拡大するとロックダウンした。ロックダウンで感染者は減った。減ったので経済再生するためにロックダウンを解いた。しかし、軽症、無症状は再び放置したので感染者は激増したのである。

１７日を月別に見ると９月４９２人、１０月４３１人１１月２，２００人１２月２，８３５人と１１月、１２月は１０月の５倍以上になっている。経済を復興するために人の接触が増えたのだから感染者が増えるのは当然である。５倍以上に増えたので、菅政権は正月前後には急増する恐れがあると予想してＧＯ　ＴＯトラベルを停止したかも知れない。２月にワクチン接種の可能性もあるから１２日からは復活するだろう。英国や米国に続き欧州連合（ＥＵ）で２７日にもワクチン接種が開始される。国民のコロナ不安も次第に落ち着くだろう。国民に不安を助長するだけの専門家・医師会・マスメディアは最低である。

１２月２２日

欧州が日本のクラスター対策をしていれば感染者は半減していた

欧州で新型コロナ感染が激増したのは初期段階の対処に失敗したからである。新型コロナ感染拡大を防止する適切な方法は感染者が少ない時に濃厚接触者をＰＣＲ検査することである。日本のようにクラスター対策班を設立してクラスター潰しを徹底していればコロナ感染者が激増することはなかった。

コロナ感染はゼロの状態の時に中国から侵入することによって拡大した。拡大する前に感染者との濃厚接触者を見つけ軽症、無症状者を含め全員をＰＣＲ検査をやっていけばコロナ感染が激増することはない。

欧州はクラスター潰しをやれば日本のように感染者を少なくすることはできなくても確実に半減させることはできただろう。クラスター潰しの有効性を認識できずに世界に発信しなかった日本の感染専門家、マスメディアの責任は重い。

命拾いしたパパイア

下水道工事をしなければならなくなった。６０年前に建てた外人住宅は水洗便所であるが、庭の地下に汚水槽をつくり、汚水は汚水槽に流した。汚水槽の汚水は地下に浸透させていた。

汚水槽は隣の家と共用である。ところが隣は新築することになった。汚水槽は埋めて、村の下水道につなぐことにしたという。となると今の下水道は使用できなくなるので私も村の下水道につなげなければならなくなった。工事費用は３７万円という。うわー高い。しかし、下水道工事はやらなければならない。村から１０万円の補助金は出るが、それでも２７万円の出費だ。２７万円はきつい。下水道工事をしなかった前の家主を恨む。

この家に移ったのは2年半前である。前住んでいた外人住宅は地主がアパートを建築するということで立ち退きになった。それで今の外人住宅に移った。前の家主が下水道工事をしていれば私が２７万円も支払うことはなかったのだ。周囲の家のほとんどは下水道工事はやっている。この家と隣の家がやっていなかった。前の家主を恨む。しかし、恨んでみたところで２７万円が私の懐から出ていくのは変わらない。仕方がない。業者に依頼した。

工事が始まった。下水管はどこに通すかを聞くと、下水管を通す場所は決まっているという。村の下水道につなぐ設置個所はすでに工事がされているのだ。

それはパパイアが生えている場所だった。もしかすると下水管を通す場所であるならパパイヤは撤去しなければならない。パパイアはスラブが割れた穴から生えているから根の周囲はスラブであり移植するのは難しい。パパイアの命もこれで終わりか。と思ったが。幸いなことに下水管は写真のようにパパイアから少し離れた箇所であった。ほっとした。命拾いしたパパイアである。

小さかったパパイアはすくすくと育った。周囲はスラブであるから水分はないと思うのだが、枯れることもなく緑の葉を広げて大きくなった。不思議である。

花が咲いた。パパイアには雄と雌があり雄の花は実にならない。このパパイアは雌だった。

さて、実は普通のパパイアのような大きい実になるだろうか。これからの楽しみである。

沖教組の立法院乱入を許した県警と首里城火災の原因を不明にした消防局に共通すること

チャンネル桜で金城テルさんと一緒にキャスターをやっている。

テルさんが教公二法に賛成する運動をしていた時、突然テルさんの家に刑事が来て、テルさんが集めた資料を全て押収していったという。刑事の中にはテルさんを右翼呼ばわりする者もいたという。テルさんは違法行為をしていない。教員が教公二法反対のストをして授業をしないことに怒り、授業をするように学校に要求し、ストの原因である教公二法を知るために資料を集めていただけである。

違法行為はしていないし、犯罪者の疑いもないテルさんの家に刑事が突然やってきて、テルさんが収集した資料を押収していったのである。警察がテルさんを取り調べることはなかった。資料は返済しなかったという。警察は沖教祖の教公二法反対運動に反対しているテルさんを脅し、活動を止めさせるためにテルさんの家にやってきて資料を押収し、「右翼だ」とテルさんを脅したのである。警察は沖教祖の教公二法反対運動を応援する行動をしたのである。

テルさんの体験話を聞いて頭に浮かんだのは沖教祖の立法院乱入であった。立法院で教公二法を議決しようとしていたのを沖縄教職員は十割年休をとって立法院に集まり、警備する警官をごぼう抜きにして立法院になだれ込んで教公二法の成立を阻止したのである。

もしかすると警察は阻止できなかったのではなく阻止しなかったのではないか・・・。屈強な警察が本気で議会を守ろうとすれば守れたはずだ。しかし、乱入を許した・・・警察にも左翼が多く、沖教祖に味方した・・・という疑問が湧いた。

教公二法阻止のために沖教祖が立法院に乱入したのは米国民政府統治時代の１９６７年２月２４日であった。

教公二法とは

「地方教育区公務員法」「教育公務員特例法」の二つの法律である。本土では一九四九年(昭和二十四年)一月十二日に成立した法律である。日本が祖国であると主張し祖国復帰運動の先頭に立っていたのが沖縄教職員会である。であるならば本土で一二年前にすでに成立し、祖国復帰すれば即沖縄に適用される法律であるのだから容認するのが当然であるはずである。ところが沖縄教職員会は大反対し、教公二法の議決を阻止するために十割年休をとって学校の授業をほっぽりだしてまで立法院に押しかけ、議会を蹴散らせて立法を阻止したのである。

もともとこの二つの法律は年金制度、結核・産前産後の休暇など教職員の身分を保障するものだった。しかし、勤務評定、政治行為の制限、争議行為の禁止などが含まれていたため、沖縄教職員会では当初から一貫して反対していた。

復帰前の沖縄は米軍が統治していたと思われているが、そうではない。米軍政府が統治していたのは米軍が上陸した時と沖縄のインフラ整備に集中していた終戦からの五年間であり、その後は米国政府の出先機関である米国民政府が統治していた。米国民政府は沖縄の民主化を進めた。１９５２(昭和２７)年に琉球政府が発足した。沖縄教職員が押しかけた立法院もその時に発足した。

立法院は名前の通り法律をつくる議会である。選挙権は２０歳以上、被選挙権は２５歳以上。「琉球住民」に与えられた。立法院の議員は３１人で、全員が沖縄本島、離島の選挙で選ばれた議員たちであった。

宣誓文

吾々は自由にして且つ民主的な選挙に基いて琉球住民の経済的政治的社会的福祉の増進という崇高な使命を達成すべく設立された琉球政府の名誉ある立法院の行使者として選任せられるに当たり琉球住民の信頼に応えるべく誠実且つ公正に其の職務に遂行することを厳粛に誓います。

一九五四年四月一日
琉球政府立法院議員

宣誓文には立法院議員全員の名前が書かれ、捺印が押されたが、一人の議員だけは捺印を押さなかった。議員の名前は瀬長亀次郎である。彼は、「我々は民意を代表しているのであって対米協力のためではない」と言って、宣誓文捺印をしなかった。宣誓文捺印をしなかっただけでなく立法院を代表して宮城久栄氏が宣誓文を読み上げた時に全議員が脱帽して規律したが、瀬長氏一人は着席したままであった。

皮肉なことに、瀬長氏が「民意を代表」していると主張した立法院に沖縄教職員は雪崩れ込み、暴力で「民意」を阻止したのである。

金城テルさんは教公二法に堂々と賛成宣言をし、たった一人で沖教祖と闘った人である。彼女は政治家でもなければ政治活動家でもなかった。4人の生徒を持つ主婦であった。教公二法反対運動に熱中している教員たちは反対運動のために授業を放棄した。四人の子供を学校に通わしていたテルさんは主婦の立場から授業をほっぽりだす教員を批判し、教員は政治活動を止め、教育に取り組むべきであるという考えから教公二法に賛成した。そのことを堂々と発言して、教公二法反対派の教員たちと闘ったのである。

教公二法が阻止された1967年2月24日にテルさんは立法院の現場を見た。
「実際に見た人間でない限りあの時の恐ろしさは分からない」
とテルさんは言っている。

テルさんの話では沖縄教職員会の教員たちは警官をごぼう抜きしただけでなく、警官の服をズタズタに引きちぎったという。沖教祖による立法院乱入を見たテルさんは、
「(左翼の)革命が起きた」
と思い、嘆き悲しんだという。

写真は１９６７年２月２４日立法院を取り巻いている沖縄の教師たちである。大衆ではなく教師たちである

政治活動をやりたい教職員たちは教公二法を阻止しようと立法院を取り巻いた。見ての通りものすごい人数である。

沖教祖の教公二法阻止運動

日本復帰前、公立学校教職員の身分は琉球政府公務員または教育区公務員であった。琉球政府公務員については、１９５３年に制定された琉球政府公務員法によって身分保障がなされた。教育区公務員についても身分保障すべく、「地方教育区公務員法」「教育公務員特例法」の二法案の制定が進められた。

しかし、これら二法案（「教公二法」という）は、教職員の政治行為の制限、争議行為の禁止、勤務評定の導入が盛られていたため、沖縄教職員会は反対した。復帰前の沖縄は教師が政治活動を自由にできた。革新系の立候補者が学校の職員室にやってきて、支持を訴えて握手するのは見慣れた風景だった。

1967年2月1日より立法院定例会が開会となったが、沖縄教職員会は授業をほっぽりだして立法院前の泊り込みで対抗し、議会の空転が続いた。

教公二法の採決予定日であった2月24日には十割年休を取った沖縄教職員が午前3時頃から続々と立法院前に集結した。警官隊は教職員を一旦排除することに成功し、与党議員団や議長を院内に入れることができた。しかし教職員は警察官に襲い掛かり、ついに警察の警戒線を突破し立法院がデモ隊に占拠されるという無警察状態に陥った。

立法院議長は午前11時に本会議中止を決定したが、デモ隊はなおも引き下がらず、午後6時に教公二法は審議しないという与野党の協定を結ぶことで事態の収拾を図ることになった。

教員たちの立法院乱入を防ぎきれなかった理由を警察本部長は次のように話している。

警察本部長=今朝三時に本部や名護あたりからも動員した警察官は五時三十分に到着しました。彼らは朝食も食事もとらず。休憩はおろか用を足す時間も与えられていません。立法院ビルの正面と裏に最大で約一万三千人のデモ隊がいました。デモ隊は次から次へと新しいグループを動員して波状攻撃で警官隊に襲い掛かりました。警官隊は今朝五時三十分から食事も取らずに立法院ビルを警備しています。そして、ついに十一時十分には、空腹と疲れからデモ隊に圧倒されてしまいました。(中略)

民政官=警官隊が武力を行使しないのはどうしてですか。

警察本部長=もし、警察官が武力に訴えれば、デモ隊も同じことをします。多勢に無勢で、われわれにはむしろ不利になるでしょう。(中略)

民政官=デモ隊を武装解除するのが警察でしょう。

警察本部長=そうすれば逮捕のために持ち場を離れなくてはならなくなり、逆に弱体化します。

テルさんの家に刑事が来たことを聞くまでは警察本部長の話に納得していた。しかし、テルさんの話を聞いて疑問を持った。警察は教員の立法院乱入を阻止できなかったのではなく本気で阻止する気はなかったのではないか。阻止しようと思えば阻止できたはずである。立法院の議場に入るには狭い入り口を通らなければならない。肉体を鍛えた頑丈な警官が１００人も居れば確実に阻止できる。「絶対に阻止しろ」と本部長が命令すれば確実に乱入を阻止できた。ところが警察本部長は「空腹と疲れからデモ隊に圧倒されてしまいました」と弁解するのである。「空腹と疲れ」には呆れる。あまりにも軟弱な警官であることよ。

警察本部長は警官が武力を使用すれば教員も武力を使用すると言った。暴力団ではない教員が武力を使用するなんてあり得ないことである。ところが警察本部長は教員も武力を使用し多勢に無勢で、警察は不利になるというのである。教員が武力を使用することはあり得ない。武力を使用すれば犯罪人になり教員を退職させられるだろう。ところが警察本部長は教員が武力を使用するというのである。さらに驚かされるのが、武装解除するために逮捕すれば持ち場を離れなくてはならなくなり弱体化してしまうというのである。乱入を防ぐ警官を維持した上で逮捕するチームをつくり逮捕して手錠をかけて警察車両に乗せればいい。

テルさんの体験と警察本部長の話から警察は沖教組を応援していたと考えることができる。警察官と教員に共通することがある。両者とも公務員であることだ。

沖縄は沖教祖と自治労は左翼であり結束力は強い。同じ公務員である警察に強い影響力があっただろう。それは現在も同じである。

翁長前知事が死去したために知事選が行われ、玉城デニー候補が当選して新しい知事になった。知事は新しい知事になったが副知事は翁長知事時代と同じだった。翁長知事時代に保守系の副知事が左翼系の副知事に代わった。いや左翼の策略で代えさせられた。元国際大学の富川盛武と県知事公室長を歴任した謝花喜一郎の左翼系の副知事に代わったのである。

新しい県知事になれば副知事も変わるが、副知事は同じだった。県政の実権を握ったのはデニー知事ではなく謝花副知事である。警察、消防署は左翼が支配する県政に忖度するようになった。首里城火災についての対応にそのことが如実に表れた。

県警と那覇消防所は首里城火災の原因は不明という結論を出した。県警は放火の可能性はないといっている。だとすれば火事の火元は正殿内に設置されているもの以外にはない。

県警は、現場周辺に設置されていた６８台の防犯カメラ映像を精査するとともに、警備員らを取り調べた結果、放火の可能性はないと断定した。次に過失の有無・程度やその対象者の特定を進め、出火元とみられる正殿の北東部から収集した配線など４６点の証拠物を科学捜査研究所で鑑定した。しかし、延長コードなど電気系統のショートか否か、火災の原因を具体的に特定するには至らなかった。

那覇市消防局も、出火場所や原因の特定には至らなかったとの調査結果を公表した。

県警も消防署も火災の原因を具体的に特定することはできなかったとしているが、火災は現実に起こったのである。火元は必ずある。火元になる可能性があるのは正殿内の照明スタンドのショートか配線のショートしかない。

那覇市消防局が発表した正殿の配線図である。

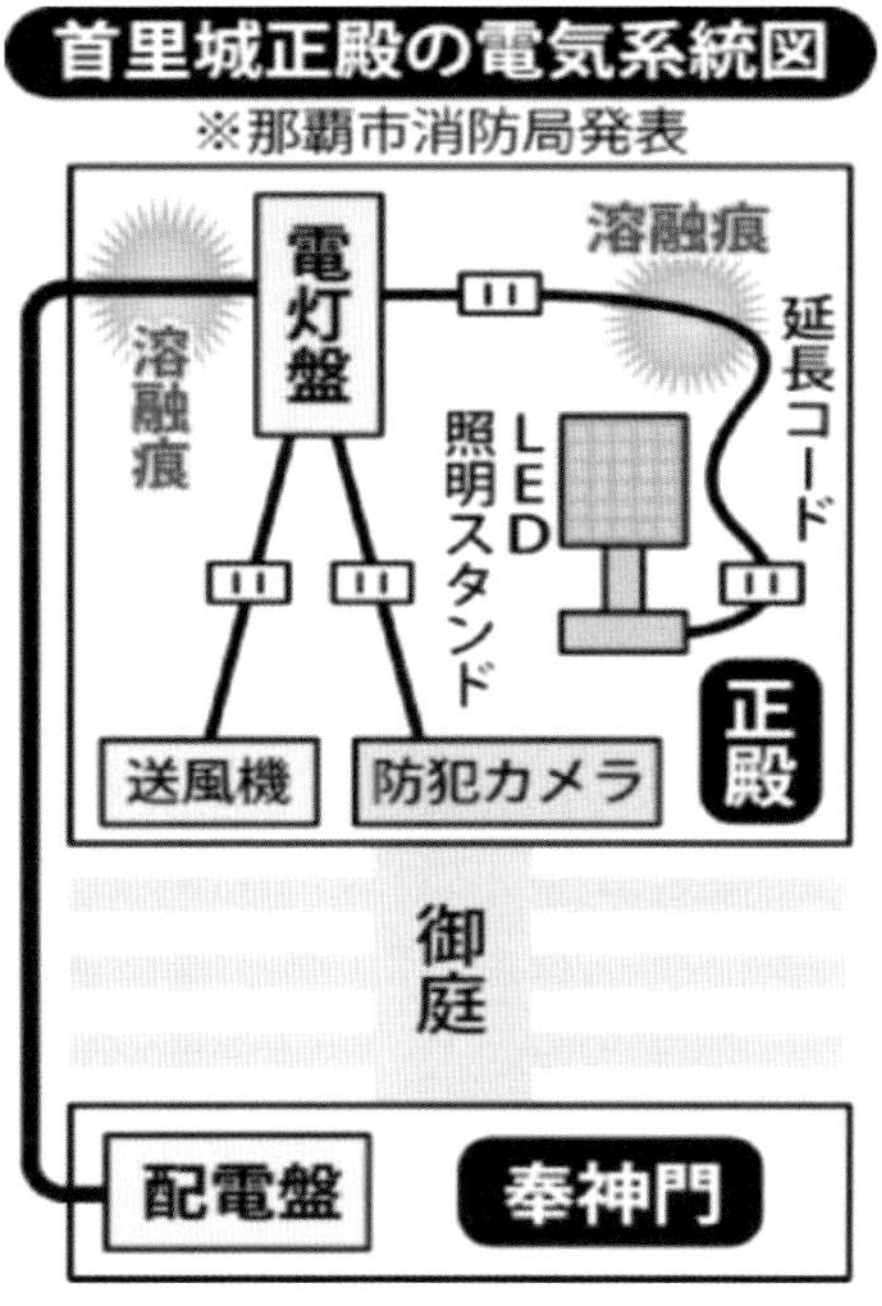

国から管理を任された県は2月に正殿内の足元を明るくするためにＬＥＤ照明スタンドを設置した。溶融度と示しているのは、延長コードが１０００度以上になって溶けたということである。配線は３０箇所以上も溶けて切れていた。銅線が解ける原因はショートしか考えられない。３０箇所以上で銅線がショートして一気に溶融度に達

して溶けて切れたのである。ショートすれば一気に１０００度以上になり火災の原因になる。火災を防ぐためにブレーカーがある。ショートすればブレーカーが落ちて電気を切る。しかし、３０箇所以上もショートしたのにブレーカーは落ちなかった。

那覇市消防局発表とは別の配線図である。

ブレーカーが落ちなかったのは配線専用のブレーカーは設置しないで分電盤内のブレーカーに接続したからだろう。ＬＥＤ照明がなんらかの原因でショートしたとしてもブレーカーが落ちれば火事にならない。しかし、ブレーカーは落ちなかった。そして延長コードが３０箇所以上も１０００度以上になったのである。配線工事で延長コード専用のブレーカーを設置しなかったことが首里城大火災の原因である。

時事ドットコムが「ＬＥＤ照明事故、後絶たず　発煙・火災も」を掲載した。

消費者庁によると、従来の白熱電球や蛍光灯用の取り付け器具のうち、明るさを調整できるタイプなどは、ＬＥＤ照明の取り付けは可能でも、危険が生じる場合がある。内部設計が異なるため、明かりがついても、使ううちに発煙や発火の恐れがあるという。

同庁によると、ＬＥＤ照明の事故は０９年９月から今年３月１０日までの約１０年間に３２８件あり、うち２３件で火災が発生した。

同庁消費者安全課は「ＬＥＤ電球などのパッケージには、どのタイプの照明器具に取り付け可能か表示してある。既に取り付けている場合でも、正しい組み合わせか不安な場合は販売店などに確認してほしい」と訴えている。

時事ドットコムトップ

ＬＥＤ照明を設置するならショートに注意を払い、ショートした時にすぐにブレーカー落ちるようにしなければならない。しかし、正殿はショートしてもブレーカーが落ちなかったのである。

那覇市消防局は正殿の４箇所に配置してあったカメラの記録を発表した。ところが正殿内の映像がすぐに消えるという不可解なことが起こる。まだ火事にはなっていないから火事が原因でカメラが故障したとは考えられない。正殿内のカメラには火元が映っていただろうし、火事が広がっていく様子が記録されているはずである。しかし、正殿内カメラは黒い映像になったのである。

２時３０分(

正殿内カメラは暗いが赤丸の中に小さく光るものが映っているようだ。下の方で光っているのはＬＥＤスタンド以外にはない。

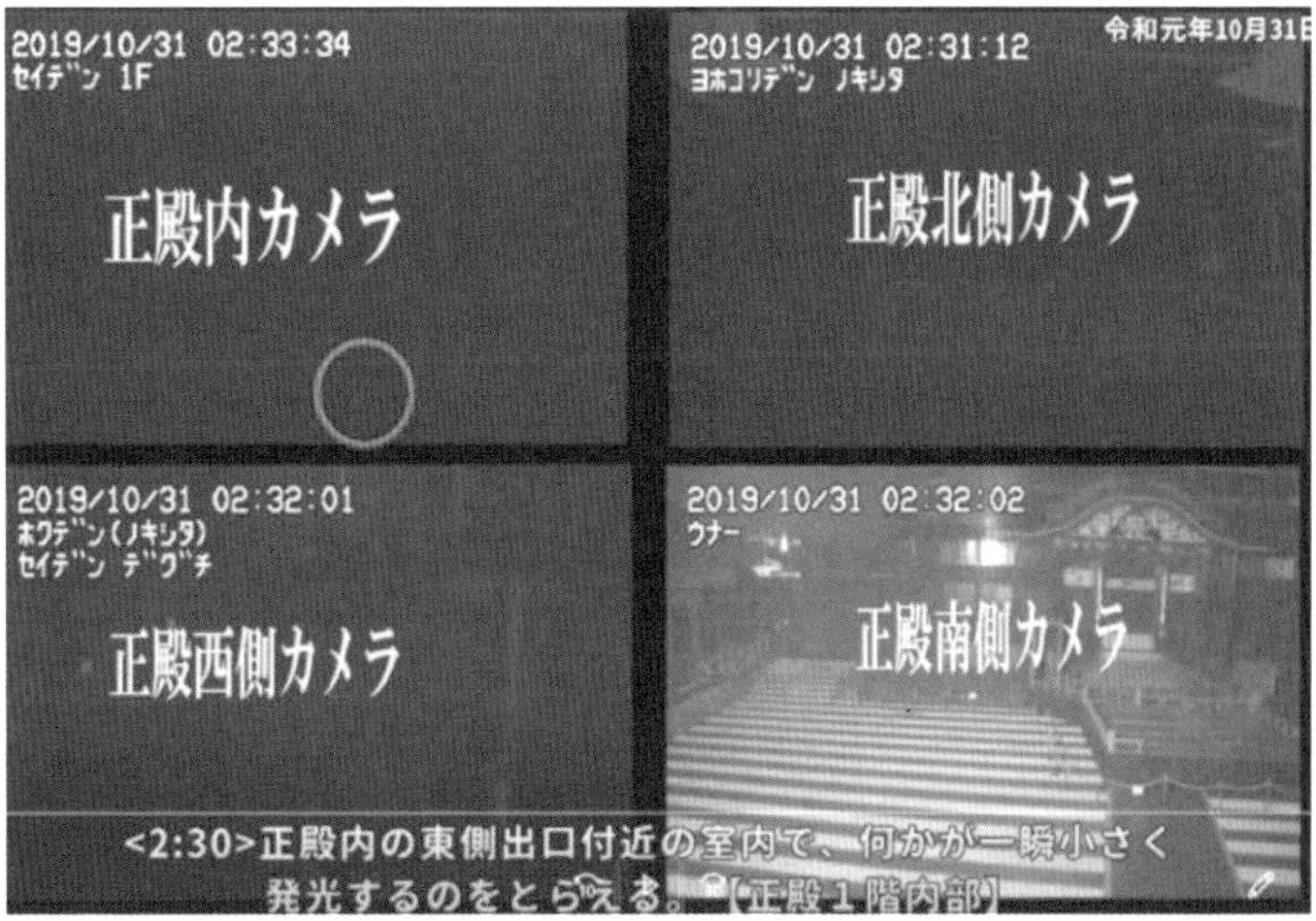

２時４６分

正殿北側のカメラに突然まぶしい光が映る。発光は２１秒以上続く。すごい発光である。那覇消防局は発光の正体を発表していない。発光が火災の原因の可能性は高い。なぜか正殿内のカメラは発光前から消える。正殿内のカメラなら発行体の正体を映していたはずである。

2時49分

　発光は消える。消えたということは発行体の正体は配線のショートである可能性が高い。

2時50分
発光の14分後くらいに正殿南側のカメラに赤い光が映る。発光の後に火災になったのだ。室内の火災はすでに起こっていたのだ。正殿内カメラには火災の様子が映っていたはずである。肝心の正殿内カメラは消えたままである。

3時58分
崩壊寸前の正殿。

那覇市消防局は火災の約1週間後に首里城火災の

原因について、「正殿の電気系統が濃厚」との見解を示していた。延長コードの電源プラグの周囲にほこりや水分が付着して発火する「トラッキング現象」や、何らかの原因による断線で出火した可能性があるとの予測を発表した。でもその発表には裏がある。火災原因から、消費者庁が発火の恐れがあるから注意するようにと発表したＬＥＤ照明を出火の可能性から外したのだ。そして、ブレーカーが落ちないために３０か所以上も配線がショートし、延長コードが溶融したことも出火原因から除外したのである。それに、正殿内のカメラの映像は公開しなかった。火災原因は不明とするための那覇消防局の計画だったのである。

　那覇市消防局は正殿北側で見つかった配線などの金属類約５１キロを消防庁消防研究センターで調べさせたが出火原因の判定には至らなかったという。出火の原因ではないのを調べさせたのだから当然である。

　カメラには２１秒も大きな白い発光が映っている。それは火災の赤い炎よりも５００度以上も高い１０００度のショートの光である。白い発光が首里城大火災の原因であるのは明らかである。しかし、那覇消防局は白い発光の原因を追究しなかったのである。

　火災の原因がＬＥＤ照明器具のショートとショートしてもブレーカーが落ちなかったことであると発表すれば、設置した県のずさんな工事が問題にされて県民の支持を失う。左翼県政を守るためには火災原因を不明にしなければならなかった。那覇市消防局は左翼県政を守るために火災原因不明としたのである。

　１９６７年の沖教祖が立法院乱入した時の警察部長の説明と首里城火災の原因が不明であると発表した那覇消防局のやり方とは５３年も経ているが共通することがある。左翼である沖教祖や県政権に忖度していることである。

　警察も消防署も公務である。同じ公務の世界である警察や消防署と沖教組や自治労は密接な繋がりがあるだろう。だから、警察は沖教祖の立法院乱入を許し、那覇市消防局局は左翼政権の県を犯人にしないために火災原因不明にしたのである。

菅首相・河野沖縄相で「オール沖縄」終焉へ

沖縄担当相に河野太郎氏が就任した。実力と人気がある河野氏が沖縄担当相になれば自民党支持が確実に増えるだろう。「オール沖縄」に参加している保守のオール沖縄離れは加速するだろう。

共産党、社民党、社大党の左翼政党の支持者は減り続け、県知事は稲嶺知事8年、仲井真知事8年と16年間自民党県連の県知事が続いた。2014年の県知事選も左翼政党だけの候補であったなら自民党県連の候補に勝てなかった。ところが自民党のリーダーであった翁長氏は自民党を離れて左翼政党と共闘し、オール沖縄を結成した。保守＋左翼の共闘によって翁長氏は県知事選に勝利した。保守＋左翼だったから当選したのだ。左翼だけだったら当選しなかった。

翁長知事が死去し、翁長知事の後継者として玉城デニー氏が立候補した。そして、大勝した。しかし、その裏ではオール沖縄の保守系は徐々に離れていった。

今年の県議選でオール沖縄を離れた安慶田前副知事とかりゆしグループの平良朝敬代表は政治集団「21令和の会」を立ち上げて保守候補を応援した。選挙で左翼政党は現状維持だったが与党の保守系の当選者は減った。過半数をなんとか維持したが、与党内保守のおきなわと自民党県連の共闘によっておきなわの議員が県議会議長になった。与党内保守が自民党県連と共闘するようになったのだ。

保守が勢力を増しつつある状況の中で河野太郎氏が沖縄担当相に就任した。次の首相候補と言われている河野氏である。すごい政治家が沖縄相になった。

菅首相は辺野古移設について、一、地元の合意二、宜野湾市民の被害解決　三、軍用地の大規模返還を総裁選挙の時に述べた。安倍首相は「辺野古移設が唯一」を繰り返しているだけであったが菅首相は「唯一」を使わずにズバリ辺野古移設の核心をいったのである。

一、地元の合意をしたのは島袋名護市長だった。チャンネル桜のキャスターになった時、その事実を多くの人に知ってもらいたかったので島袋氏を招待して辺野古移設に賛成した過程を話してもらった。

島袋市長は辺野古移設に反対だった。理由は離着陸の時に飛行機が住宅の上空を飛ぶからだった。上空を飛べば騒音被害あるし、墜落の危険性もある。島袋市長は東京に呼ばれ、辺野古移設に賛成するように額賀防衛相にしつこく迫られた。しかし、島袋市長は頑として断った。交渉は決裂し、島袋市長が交渉を打ち切って帰ろうとした時に、防衛省はV字型滑走路案を島袋市長に出したという。島袋市長は検討に検討を重ねてV字型滑走路の場合、離着陸する飛行機は海上に限定され住宅の上空を飛ぶことがないことを確認したので政府と合意した。絶対に住宅の上を飛ばせないという島袋市長の強い信念があったからV字型滑走路になったのである。「地元と合意」は事実である。

辺野古移設の理由は一、二、三の3点に尽きる。河野沖縄相も3点を強調してほしい。

左翼が大浦湾からジュゴンが居なくなった、サンゴや魚が死ぬと主張すれば、お前たちは宜野湾市民の命よりジュゴンやサンゴが大事なのかと反論すればいい。

普天間飛行場が返還されれば那覇新都心や美浜のように経済効果は莫大であると主張しているのは左翼である。沖縄の経済発展のために左翼も歓迎しろと言えばいい。

デニー知事は辺野古移設工事を中止して話し合うことを政府に要求している。要求された時に河野沖縄相は次のように質問してほしい。

「辺野古移設に反対しているデニー知事は普天間飛行場をどこに移設させたいのですか」

デニー知事は答えることができないだろう。辺野古以外に移設できる場所はないからだ

菅首相と河野沖縄相は最強のタッグである。二人のタッグでデニー知事、左翼を蹴散らしてほしい。そして、2年後の県知事選で保守の知事を誕生させてほしい。

米国・FTA、中国・一帯一路、日本・TPPの三つ巴がどのように展開していくか。

世界は経済戦争に入っている

日本TPP・米国FTA・中国一帯一路

その行方を注目する今年であったが、新型コロナウイルスが世界に広まり経済は悪化した。新型コロナの登場によって経済の展開は見えなくなった。

米国の大統領はトランプ氏からバイデン氏に代わった。

トランプ大統領は中国との第一交渉で知的財産保護、技術移転禁止に加えて金融サービスも米国流を合意させた。それに米国企業の出資規制を撤廃させた。バイデン氏は第二次交渉するかしないか。習政権を追い詰めるか否か。

１１月２日

菅首相の最初の外遊がベトナム

感慨深い

菅首相が初の外遊先に選んだのがベトナムであった。感慨深いものがある。

ベトナムといえばすぐに脳裏に浮かぶのはベトナム戦争である。高校生の頃からベトナム戦争は激しくなっていった。近くの嘉手納飛行場からはＢ５２重爆撃機が飛び立ち南ベトナムに爆弾を落として帰って来た。ベトナム人を殺しに飛び立つＢ５２爆撃機をよく見た。

アメリカ軍は敗北しベトナムから引き上げた。ベトナムは社会主義国家であるし日本とは対立関係にある。ベトナムを空爆したＢ５２爆撃機は沖縄から飛び立った。ベトナム人は沖縄を憎んでいるだろう。だから、ベトナム人が沖縄にくることはないと思っていた。

具志川でコンビニエンスストアを経営している時、夜になると店の側でで１０人くらいの若者がたむろするようになった。彼らは外国語で話していた。沖縄の若者ではない。彼らの国を聞くとベトナムであると言った。ベトナム人が沖縄に来ることはないと思っていた私は驚いた。

具志川には日本語学校があり、彼らは日本語を学ぶために沖縄に来ていた。ベトナム人を殺害するＢ５２が飛び立った沖縄にベトナムの若者が来たことに戸惑いがあった。戸惑いはあったが嬉しかった。２０年前のことである。

ベトナムのことでもう一つ嬉しいことがある。ベトナムが環太平洋パートナーシップ（ＴＰＰ）に参加したことである。ベトナムは社会主義国家である。民主主義国家とは対立関係にある。ベトナムはアメリカと戦争した国である。ベトナムがＴＰＰに参加することは考えられなかった。しかし、ベトナムはアメリカがリーダー的存在であったＴＰＰに参加したのである。

民主主義国家のＴＰＰは自由主義経済を基本としている。社会主義は独裁国家である。ベトナム政府にとって独裁支配に支障が生じる恐れがあるＴＰＰである。しかし、ベトナム政府はＴＰＰに加盟した。独裁支配より経済発展を優先させたのだ。
社会主義国家だから中国との関係を優先してアメリカとの関係は敬遠すると考えると思うが、社会主義国家は協力しあうと思うのは間違っている。

ロシア連邦は近隣諸国を軍事力で制圧し、ロシアに従属させて拡大した。主従関係が存在していたのがソ連である。

ベトナムは2008年頃から、年率30%近い高インフレや通貨安といったマクロ経済の不安定化に苦しめられていた。原因は中国との膨大な貿易赤字にあった。鉱物や農産物など一次産品を輸出し、大量の原料、資本財、中間財などを輸入していたからだ。中国はベトナム経済を発展させるのではなく苦しめていたのだ。ベトナムが経済復興するためには社会主義国家中国ではなくアメリカを中心とする民主主義国家と関係を深めることだった。

ベトナムがTPPに参加したのは嬉しかった。かつてアメリカと戦争をした社会主義国家ベトナムを迎え入れたアメリカと民主主義国家の寛容も嬉しかった。

TPPはトランプ大統領によって米国が抜けた。成立が危ぶまれたが安倍政権の必死の努力でTPP11の成立にこぎつけた。日本がTPPのリーダーになったのである。安倍政権を引き継いだ菅首相がTPP参加の社会主義国家ベトナムを最初の外遊先にしたのは感慨深い。

11月7日

経済からみる共産党一党独裁中国の現実　中国は社会主義と資本主義が混在している国である

「香港国家安全維持法」が7月1日に施行された。中国政府が香港の民主主義運動を根こそぎにして香港の中国化を狙ったのが「香港国家安全維持法」である。香港の民主化運動は弾圧され、香港の中国化が進んでいる。

民主化運動は根強いしどんなに弾圧されても絶えることは絶対にない。「香港国家安全維持法」の網をくぐって生き続けるだろうが、民主化運動の勢力は弱くなり、香港の民主化が遠のくのは確実である。しかし、中国の共産党一党独裁が絶対的に強固であるわけではない。中国にも大きな弱点がある。旧ソ連のように純粋な社会主義ではないことである。経済で社会主義が資本主義に崩されている現実がある。

社会主義は共産党一党独裁国家である。社会主義経済は企業は国が所有して国が経営する。社会主義は資本主義を否定することによってつくられた国家なのだ。

ロシア革命のリーダーであったレーニンは労働者を搾取する資本家を社会から排除することを最優先した。資本家を排除するには国が資本を所有する以外の方法はなかった。資本家は労働者を搾取し奴隷にする。労働者を資本家から解放するのを目的に企業を国営にしたのだ。政治は共産党一党独裁、経済は国営が社会主義国家である。

ロシア革命の頃、資本主義社会では労働者の賃金は安く、子供にも働かせ、勤務時間はとても長く奴隷に等しかった。奴隷のような労働者を資本家から解放する目的でつくったのが社会主義国家だった。

議会制を否定し共産党一党独裁国家にしたのは資本主義を排除するためであった。議会制にし、選挙で議員を選ぶようになると資本主義に味方する政治家が議員に紛れ込み、資本主義が浸透する恐れがある。資本主義を一掃する目的で議会制を排除し労働者の味方である共産党一党独裁にしたのである。共産党は共産社会を理想とする政党である。理想の共産社会を目指してつくったのが社会主義国家であった。しかし、社会主義は国営とする経済のために決定的な欠点があった。国営では経済が発展しないで生産力は落ち経済は悪化することだった。

資本主義の米国は経済が目覚ましく発展し、社会主義のソ連は経済発展しなかった。歴史的事実である。

社会主義では経済が破綻する

社会主義では会社は国営である。搾取する資本家が居ないから労働者は搾取から解放された。社会主義は労働者を解放する国家であると信じられていた。経営は資本家の経営専門家ではなく国の政治家が行った。利益追求はしない。生産は国の指定にしたがって生産した。それをノルマという。ノルマを達成することが会社経営の基本であるから、生産開発をして生産を高めたり、生産コストを低くして利益を上げる努力はしなかった。それに経営能力のない官僚の天下り、政治家や軍人への賄賂も普通に行われた。

社会主義経済には競争がない。競争があれば切磋琢磨して生産力をアップし、商品の質を高め、価格を安くしていったが、会社は国営であり国が指定するノルマをこなせばいいから資本主義の米国のような競争をすることはなかった。競争は労働者を酷使するものとしてむしろ悪と見られていた。

国が経営し、国の要求するノルマだけをこなし、利益を追求しない、競争もしない、天下り、賄賂が普通のソ連社会主義経済は悪化し続け、生活必需品さえ不足する状態になった。末期のソ連の経済は恐慌状態になっていたのである。ソ連が崩壊した原因は経済の破綻にある。社会主義経済は破綻する運命にある。

中国は社会主義国家だから会社は全て国営であった。民営は禁じていた。中国が社会主義の鉄則を守っていたら現在も民間企業はなく国営企業だけであった。そして、ソ連のように経済は破綻し崩壊の危機に直面していたはずである。しかし、現在の中国は世界第二位の経済大国である。

ソ連とは違う。ソ連と中国の違いはソ連にはなかった外国企業が多く存在することである。外国企業は国営ではない。外国資本企業による民営である。ということは社会主義国家でありながら民間である外国の資本家が私有している会社があるということである。中国は社会主義の掟を破っていることになる。労働者を搾取する資本家の会社をつくらないということが社会主義国家設立の目的であった。現在の中国は社会主義国家設立の目的を裏切っているのだ。

　中国社会に資本主義が導入されていることは労働者を搾取する資本主義を中国共産党政府は容認したことになる。それは社会主義の否定である。今の中国は国営企業と民間企業が存在し、社会主義と資本主義が混在している経済社会である。政治は共産党一党独裁の社会主義であるが経済は資本主義と社会主義が混在しているのだ。

　ロシア革命の時に資本主義を排除する目的で社会主義国家を設立したのに現在の中国は社会主義に反する状態になっているのである。

　マルクス・レーニン主義で社会主義の象徴的な存在であるマルクスが資本は国境を超えると言った。資本主義国家の欧米、日本の資本がこともあろうに社会主義国家中国の国境を越えて中国内に入ったのである。資本主義国家の欧米や日本の資本が社会主義国家中国に進出したということとは、経済からみれば欧米、日本の資本が中国を侵略したということになる。日本は１万２０００社以上の企業が中国を侵略している。日本では日本企業の中国進出を侵略とは呼ばないが社会主義の中国から見れば紛れもない資本主義の侵略である。

　社会主義国家中国にとって資本主義の侵略は社会主義経済の崩壊につながる。将来的には社会主義が崩壊する恐れがある。中国共産党政府は社会主義を守るために外国企業株の５１％を中国政府が所有することを強制した。欧米、日本は国が民間企業の資本を所有することはない。日本では国営の国鉄を民営化したし、小泉首相は郵政も民営化した。公共的な企業さえ民営化したのが日本である。

　資本主義国家の米国や日本は国が企業の資本

を所有することはないが社会主義の中国では全資本を所有し国が経営してきた。しかし、中国に進出した外国企業の全資本を中国政府が所有することは無理であった。中国政府は社会主義を守る方法として考えたのが外国企業の株の５１％を中国政府が所有することであった。中国に進出している企業は株の５１％は中国政府が所有することを認めた企業である。欧米、日本の企業は５１％の株は中国政府が所有するという条件でも中国に進出していったのである。それでも利益が出ると計算できたからだ。

外国企業にとって中国の魅力は人件費の安さだった。安い労働力で生産した安い商品を欧米諸国や日本に輸出すれば、莫大な利益を得ることができる。利益を求めて多くの企業が中国進出したのである。利益が見込めれば国境を越えるのが企業である。マルクスの「資本は国境を超える」を文字通り実行したのが欧米、日本の企業であった。

外国企業は莫大な利益を獲得すると同時に、中国を世界第二位の経済大国にしたのである。中国を経済大国にしたのは中国の国営企業ではない。欧米や日本の外国企業である。中国の多くの国営企業は赤字であり政府から援助を受けている状態である。

中国政府は外国企業からの税金と株式配当で莫大な収入を得た。その金で人民解放軍を強大化し、習近平主席は一帯一路という米国と対抗して「シルクロード経済ベルト」構想を打ち出したのである。

中国は世界第二位の経済大国になったが、経済大国にしたのは中国の国営企業ではなく、米国を中心にした外国企業である。米国は中国製品を大量に輸入している。米国には中国の輸入品が増えて米国内で生産する商品が売れなくなった。米国では規模を縮小する会社や倒産する会社が増えた。米国企業が中国進出した反動で米国内の会社が減少して失業問題が出た。トランプ大統領は失業問題を解決する方法として中国進出の米国企業に米国復帰を呼びかけたが９０％の企業が米国復帰を拒んだ。

企業にとって重要なのは利益である。利益を優先するから中国に移動したのである。企業は利益企業を生み出す地を求めて移動し、国境も超える。業に愛国心はない。あるのは利益愛である。

企業の本質を見抜いていたのが資本論を書いたカール・マルクス(1818年5月5日-1883年3月14日)である。マルクスは「資本は国境を超える」と言った。それを如実に示したのが中国に進出した米国企業である。米国企業の90%は米国に復帰しないと宣言しているが、中国に進出した日本企業も80%は日本に復帰しないといっている。利益を追い求める企業は国境を平気で超える。企業は利益を求めてグローバルに移動する。そんな外国企業が中国政府の財政を支えているのである。

中国政府にとって外国企業が中国から出ていくことと米国との貿易ができなくなることは絶対に避けなくてはならないことである。そうなれば中国経済が破綻するからだ。

中国政府は米国と貿易交渉し第1段階の貿易合意に署名した。米国の要求をほとんど受け入れた内容の合意だった。中国政府が米国との対立を避けるための合意だった。

中国経済は欧米、日に支えられている。その現実を正確に理解すれば中国が米国と軍事衝突することは絶対に避けることが分かる。中国は日本とも軍事衝突はしない。断言できることである。

2012年に中国の活動家が尖閣の魚釣島に上陸した時に多くのジャーナリストや評論家は再び中国人が尖閣に侵入して島を占拠すると予想し、騒いだが、私は中国人は侵入しない。侵入するのを中国政府が止めるとブログで断言した。私の断言が正解だった。

今年、中国が設定した尖閣領海に中国漁船と公船が領海に大挙して侵入する恐れがあるとマスメディアは騒いだ。評論家も侵入の可能性を示唆した。漁船が尖閣に侵入することはないと私はブログで断言した。尖閣侵入はなかった。

中国政府は紛争に発展するぎりぎり手前の策略を日本に仕掛けてくる。その仕掛けに騙されるのがマスメディアや政治・軍事評論家たちである。彼らは中国政府に騙されて尖閣が危機であると騒ぐのである。日本との軍事衝突を恐れているのは本当は中国の方である。

11月8日

米中貿易合意に見られる米国流資本主義の中国拡大

2019年12月13日に米国と中国の貿易交渉は「第1段階の合意」に達した。議会制民主主義国家米国と共産党一党独裁の社会主義国家中国の貿易交渉の合意だ。中国政府は突然フィリピンからのバナナ輸入を削減したり、オーストラリアからの石炭原料をストップしたりして、政治トラブルがあれば輸入をストップして圧力をかけた。共産党一党独裁だからできることである。

そんな中国だから米国に対して中国に有利な貿易交渉しそうであるが、事実は逆だ。米国が無理難題を要求し中国を屈服させた合意であった。

米国から大量の輸入を合意

■中国は年平均400億ドルの米農産品や海産物を購入、輸入する。今後2年間では少なくとも800億ドルを輸入する。これに上乗せし、中国は今後2年間で年50億ドルの農産品購入に努める。農業、バイオテクノロジーの評価と認可は、透明、予測可能、効率的で科学とリスク評価に基づく規制手続きを実行する。国内の農家支援の透明性における世界貿易機関（WTO）の義務を尊重する。WTOの義務に従い、小麦、トウモロコシ、コメの関税割り当ての運営を改善する。

中国は科学とリスク評価に基づかない食品安全規制を実行しない。商標や（食品や酒類のブランド名称である）地理的表示（GI）を使って、米国の対中市場アクセスを阻まない。

中国が400億ドルの農産物輸入の要求に応じるのは米国への輸出で莫大な貿易黒字だからである。米国の要求に応じなければ米国は中国の輸入品に高関税をかけて、中国の商品が売れなくなるようにする。輸出を維持するためには米国の要求通りに農産物を輸入することにした。

米国は農産物だけでなく、米国からのモノやサービスの輸入も要求した。

貿易の拡大

■中国は経済を開放し、貿易体制を向上するための構造的な変革に着手すること。中国は今後2年間で2017年に比べ、米国からのモノやサービスの輸入を2000億ドル（約22兆円）以上増やす。内訳は工業製品が777億ドル、農産品が320億ドル、エネルギーが524億ドル、サービスが379億ドル。

米国の対中貿易赤字は3800億ドルである。莫大な赤字を中国への輸出拡大でバランスを取ろうとするのが米国である。米国の要求に中国は応じなければならない。

米国の中国への要求は貿易赤字緩和だけではなかった。中国国内で米国流の資本主義ルールを守るように要求したのである。その一つが知的財産権の保護である。

知的財産の保護

■中国における知的財産の保護と執行を強化する。高水準の規定は米企業の公平な競争環境と米国の競争力を確保する助けとなる。

中国における貿易秘密の窃盗は米国の競争力を減退させ、雇用を危機にさらす。製品の販売やサービスにおける貿易秘密の流用について直接の当事者を超えて民事賠償の範囲を拡大するよう要求する。これによって貿易秘密の保有者は元従業員やインターネット上のハッカーを含むあらゆる個人や法人に対し訴訟を提起できる。

未公開情報、貿易秘密、企業の機密情報が中央政府や地方政府に提示された際には、当局者や第三者による許可や権限のない情報開示を禁じること。

製薬特許紛争の早期解決メカニズムを立ち上げるよう求める。特許の実効期間を侵害するような不合理な承認の遅れなどへの補償として、特許期間を延長するよう求める。米国ブランドの保護を改善する。悪意のある商標登録を無効にしたり、却下したりするような対策を求める。海賊品や偽造品問題に対処するため、オンライン環境での侵害に対し、効果的で迅速な行動を義務付ける。電子商取引プラットフォームへの効果的な行動、偽造医薬品や関連製品への効果的な執行措置、国内や輸出される海賊品や偽造品への執行措置の劇的な増加を義務付ける。

中国は共産党一党独裁国家だから民間に知的財産権はない。米国は中国の知的財産権違反を戒め、知的財産権の徹底した保護を合意させたのである。

米国は知的財産保護にとどまらず、中国政府の技術移転にも歯止めをかけた。

技術移転禁止

■中国が市場アクセスや行政承認または利益の受け取りを条件に、外国企業に技術移転の圧力をかけることを禁じる。いかなる技術移転や使用許諾も自発的で相互合意を反映した市場（取引）の条件に基づくように。産業政策に絡み、国家が海外技術の取得を目的に指示・支援する対外投資を禁じる。執行と行政手続きが公平、公正、透明で無差別であることを保証する。

中国政府は外国企業の技術を中国国営企業へ転用するのを強要した。生産技術が遅れている国営企業に外国企業の技術を転用させて復興させるのが中国政府の狙いだった。米国政府は中国でも技術転用禁止を要求し、中国政府に認めさせたのである。

中国の国営企業の技術力は低い。

コロナ感染が広がったヨーロッパに中国で製造された６０万枚のマスクを輸出したが品質基準を満たしていないためすべてリコール（回収）し、中国に送り返した。

スペインやチェコに送られた数十万枚の新型コロナウイルスの感染検査キットも検査結果の信頼度が３０％しか達していない不良品だった。コロナ感染被害を押さえて、工場生産を復活させて製品をヨーロッパに輸出したが不良品だったのである。中国内では不良品でも売買されたが、ヨーロッパでは不良品として返品された。中国の国営企業は品質の悪い製品を生産しているのである。それがコロナ感染で明らかになった。

中国政府は外国企業の技術転用で国営企業を改善しようとしたが米国は技術移転の禁止を合意させたのである。

知的財産の保護、技術移転の禁止で中国内で米企業は中国の圧力なしに自由に生産することができるようになった。中国政府の狙いを打破したのである。中国の国営企業は成長できないで、米国企業の方が成長拡大する社会になる環境になりつつある。

知的財産保護、技術移転禁止に加えて金融サービスも米国流を合意させた。

米金融サービスの拡大

■中国は証券サービスにおいて外資の出資規制を撤廃し、米証券業者の機会を拡大する。米国企業の無差別の中国市場へのアクセスを保証する。米国生命、医療、年金の保険サービスにおいて２０年４月１日までに米国企業の出資規制を撤廃する。将来に向け、電子決済分野では、米国企業への免許交付プロセスの改善を保証する。銀行サービスでは、米金融機関に対し、支店網や証券保管業務における機会を拡大する。

金融も自由になった。中国は共産党一党独裁の社会主義国家であるが、経済は米国流の資本主義が拡大している。５１％の株は中国政府が所有する規制も米国の要求で撤廃し、１００％外資の企業を許可した中国である。最初の完全外資企業が米資産運用会社大手「ブラックロック」である。

マクロ経済政策と為替レート

■輸出を増やすために中国政府は為替レートを故意に低くしたりして政府が為替レートを調整していた、米国は中国の通貨政策を市場が決定する為替レートの仕組みに従うように要求した。為替市場における大規模、継続的、一方的な介入など、通貨の競争的な切り下げを控え、競争力のために為替レートを目標にしないことを中国に合意させた。

米国は経済は資本主義、政治は議会制民主主義国家である。中国は経済は国営、政治は共産党一党独裁である。国営で順調に発展している思っていた中国であったが日米を訪問した鄧小平は経済の発展が中国とは雲泥の差があることを知った。中国の経済を発展させるために日米のような市場経済を導入した。外国企業も受け入れた。

政治は社会主義、経済は資本主義と社会主義の混在が今の中国である。米中貿易合意で米国流資本主義がますます拡大しているのが中国である。

１１月１１日

国内企業は社会主義強化　外国企業は資本主義強化の中国

中国は習近平政府になって８年になる。習主席は官僚出身である。人民解放軍出身ではない。中国の権力は人民解放軍から官僚に移ったのだ。官僚政権に移行する方法として習主席がとった戦略が「汚職摘発」と「国進民退」である。「汚職摘発」で人民解放軍勢力を排除し、国進民退で人民解放軍政権が進めてきた企業の民営化を止め、国営企業を強化した。それが現在の中国である。

戦後の日本が経済成長したのは財閥を解体し、独占を禁止して自由競争の資本主義社会にしたからである。中小企業であった本田や豊田などが大企業に成長したのは米国流の自由競争の市場だったからである。

米国は自由を重んじる国であり、財産や地位がなくても才能があれば成功するという「アメリカンドリーム」の国である。米国ではどんどん新しい企業が誕生し成長する(裏では失敗し倒産する企業も多い)。

１９８７年に出版された「覇者の驕り」は自動車産業界の米国の自由競争を描いた本である。

「覇者のおごり」では、豊かさに自己満足したフォードなどのアメリカ自動車企業が驕りの中に変革を忘れていたのに対して、品質の向上と管理、技術革新に労使が真剣に取り組んだ日本の自動車産業が米国自動車産業の地位を逆転させ、覇者になった歴史を描いている。

米国は自由競争の市場主義国であり、技術革新に努力する企業が勝利者となる国である。

社会主義国家の中国は米国とは反対に企業は国営であり、競争は禁止し、国の計画に従って生産する。だから、品質の向上、効率の高い管理、技術革新の努力はしない。自由競争の米国、日本のような市場主義の国であるなら倒産する企業が中国の国営企業である。

国営企業では経済が発展しないことを知った

人民解放軍出身の鄧小平主席は１９７２年に日米のように経済発展を目的にして市場主義を採用した。民間企業も許可した。しかし、国営企業がほとんどであった共産党一党独裁の中国では民間資本はなかなか発展しなかった。

中国政府は国有企業を民営化にしようとする試みもしたがうまくいかなかった。その事実を２００４年に取り上げた「中国における国有企業民営化に関する考察」という評論がある。

「中国における国有企業民営化に関する考察」は民営化をしようとしてもうまくいかなかった理由を説明している。

国有企業の経営は収益の最大化を追求するものというよりも、政府が策定した経済計画をそのまま実行していくことにあり、資金調達、部品調達、生産、販売、人事など一連の経営活動がいずれも政府によって厳しくコントロールされていた。その体質からの脱却として人民解放軍政権が打ち出した「改革・開放」政策は、政府による企業経営への干渉を緩和して、国有企業経営の自由化を目指したものであった。

国有企業の所有制を改革するために、「公司法」（会社法）に基づいて国有企業を株式会社に転換する政策を採用した。企業の所有と経営を分離し、企業経営のメカニズムを、利益の最大化を追求することに改めたのである。同時に、企業経営者及び従業員に対する評価・任期なども、法に基づいて行われるようにした。このような改革の延長として、国有企業の多くが株式会社に転換した。そのうち、約１，２００社は内外の証券取引所において株式公開を果たした。しかし中国の民営化は成功しなかった。

「中国における国有企業民営化に関する考察」は中国の国有企業民営化が成功しなかった原因として株式公開した国営企業が国有の計画経済から十分に脱皮できていないことを第一に指摘している。

国有企業の経営に関する独立採算制は導入されたが、それに対する監督機能は十分に強化されなかった。原因は経営難に陥った国有企業に対するペナルティが十分ではなかったと説明している。米国なら倒産する企業であっても中国では政府が資金を提供して倒産しないようにしたのだ。株式化したが経営は国がやるので赤字を出したら国が補填したのである。その反面、報酬は国が決めるが、経営業績を上げた国有企業の経営者及び従業員に対する報酬は限られていて充分ではなかった。このような状況下では、国有企業経営を改善しようとする積極性を妨げると「中国における国有企業民営化に関する考察」は指摘している。

国有企業が日米のような民間企業にならないのは共産党一党独裁の社会主義国家に原因がある。共産党一党独裁というと共産主義政治家が政権を握っているように見えるが実態は違う。本当の共産主義者は居ない。人民解放軍の軍人と官僚が政権を握っている。政権を握れば地位を利用して自分の富を求める。彼らの欲望が国営企業に介入する。政治の力で国営企業の幹部になったり、国営企業から賄賂を取るようになる。官僚の天下りと軍人や官僚への賄賂が国営企業の実態であった。「中国における国有企業民営化に関する考察」も、

「中国国内のエコノミストの多くは、国有企業の財産が様々な方法によって個人財産となり、国有企業経営者の腐敗問題に繋がっていることに注目している」

と述べている。株式にすれば民営企業になると考えた人民解放軍政府は間違っていた。たとえ株式になっても経営を国がやる限り米国や日本のような民営企業にはならない。民営企業が発展するのは成功すれば報酬が高くなる、失敗すれば倒産するという厳しい自由競争の世界だからである。成功しても報酬は少ない、失敗したら政府が赤字補填をするような企業は発展しない。

人民解放軍政府による国営企業の民営化は失敗したのである。国営企業は発展しなかったが中国に進出した外国企業のお陰で中国経済は大きく成長した。２０１０年には日本を抜いて世界第二位の経済大国になった。

２０１２年に官僚出身の習近平が主席になる。習主席が始めたのが「汚職摘発」であった。習政府は5年間で次官級以上の幹部２８０人余りと、局長級の幹部８６００人余りを汚職で摘発した。また党の規律違反や違法行為で何らかの処分を受けた党員は１３４万人以上にのぼった。摘発さ

れた不正蓄財は総額2兆円にのぼっていた。

習近平主席は政権を握っている人民解放軍と人民解放軍側の官僚を中心に「汚職摘発」をした。

軍のナンバー2だった徐才厚・前中央軍事委員会副主席は170億円の収賄容疑で党籍はく奪された。最高指導部のメンバーだった周永康・前党政治局常務委員は石油業界の実力者で、不正蓄財は1兆9600億円あり、中国中央テレビのアナウンサーら愛人29人がいた。

人民解放軍幹部と官僚は国営企業をむさぼって蓄財し贅沢をしていたのだ。習近平は「汚職摘発」して腐敗した軍人や役人を摘発し、排除していったのである。


習近平が「汚職摘発」したのは国営企業を健全化するだけが目的ではなかった。人民解放軍中心の権力を排除して習近平中心の官僚が権力を奪うのが目的だった。「汚職摘発」は権力闘争であったのだ。「汚職摘発」によって人民解放軍と人民解放軍と連携している官僚を排除して、官僚を中心とした習近平政府が誕生したのである。


権力を人民解放軍から奪取した習近平は人民解放軍が行っていた民営化政策を封じ、官僚支配の国営企業に転換していく。

日本総研が2020年05月19日に発表した「中国経済の減速と民営企業―なお続く『国進民退』」には習政府が国営企業を優遇し民営企業を冷遇している事実を指摘している。

国有企業優遇・民営企業冷遇の政策が「国進民退」である。「国進民退」は人民解放軍が1972年以降に進めた市場開放、民営化とは180度違う政策である。


中国の国有・国有持ち株企業は総資産利益率（ROA）が民営企業より低い。それに加えて資産負債比率が高い。「国進民退」によって成長減速に拍車がかかる可能性がある。一方、民営企業は経験したことのない難局に直面しており、経済をけん引する力が弱まっていると「中国経済の減速と民営企業―なお続く『国進民退』」は指摘している。

「国進民退」を推進しているのが習政府である。習政府は徹底して民退」を進めている。リーマン・ショックのような非常時ではない時期に国有・国有持ち株企業の投資が高い伸び率を示したことは過去に例がない。習政府は中国経済を国有企業と民営企業という二元論で捉えるのは間違いだとし、「国進民退」にかかわる議論を封印しようとしている。

投資における「国進民退」が顕在化したのは2016年からである。2018年には国有・国有持ち株企業の割合が私営企業を上回る逆転現象が起きた。4兆元の資金を調達した「政府引導基金」は国営企業に投資される。「政府引導基金」が投入されない民営企業は銀行融資だけでなく、債券市場における資金調達でも苦戦を強いられている。習政権は「国進民退」を加速している。

「中国経済の減速と民営企業ｰなお続く『国進民退』」

「国進民退」は習近平が首席となり「汚職摘発」をやって、習近平中心の官僚支配が強くなった頃から始まっている。習政府は私営企業の成長を押さえ国有企業の強化に政策を転換させたのである。それと同時に成長した民営企業を国営化する政策も進めている。

民営企業の国営化を象徴しているのが電子商取引(EC)最大手アリババグループ(アリババ)の国営化工作である。アリババは民営企業で大成功した企業である。アリババグループは、中華人民共和国の情報技術(IT)などを行う会社である。1999年の創立以来、企業間電子商取引(B2B)のオンライン・マーケットを運営しており、240あまりの国家・地域で5340万以上の会員のほか、5つの子会社を保有している。時価総額ではアジア最大の企業になった。小さな企業から叩き上げでアジア最大の企業になったアリババが強引に国に奪われつつあるのである。

創業者馬氏は15年のダボス会議で「中国政府とは結婚しない」と発言し、それ以前の13年には「絶対に中国政府とビジネスをしないのだ」と公言していた人物である。国に頼らずに民営に徹したのが馬氏であった。そんな馬氏のアリババを習政権は圧力をかけ国営化への工作を始めたのである。習政権はアリババ以外にも成功した民企業を国営化工作していった。

アリババの民営に固執していた馬氏は国営化工作が始まったので引退してアリババを去った。

習政権は民営企業を国営にする政策以外に「混合所有制改革」を実施した。活力のある民営企業を政府企業と統合させて、政府企業に活力を与える政策である。。政策は16年に本格化した。

習政権は外国企業の優れた技術を国営企業に移したり、知的財産を国営企業に盗用した。

習政権は国主導で国営企業を発展させていく政策を展開している。

外国専門家の高額報酬による招待等々、習政権はあらゆる方法を駆使して外国企業の技術を国営企業に転用して国営企業を成長させようとしたのである。違法な方法で国有企業を成長させると同時に民間企業を弱体化させていくのが習政府の政策である。

2012年第18回共産党大会で習近平氏がトップ（共産党総書記）王氏を党中央規律検査委員会書記にした。王書記は5年で153万700 0人もの幹部を摘発し、「習近平一強体制」の構築に、誰よりも尽力した。69歳の王岐山書記は年齢制限で引退せざるを得なかったが習主席は王氏を国家副主席として復活させた。

アメリカとの貿易戦争が勃発すると、王国家副主席と経済担当の李克強首相は市場経済派になった。すると二人を無視して、習近平主席は王岐山副主席、新たに任命した劉鶴副首相（経済担当）の「3巨頭」による鳩首会談で決定を下すようになった。習近平主席、王岐山副主席、劉鶴副首相の3巨頭によって中国の社会主義が強化されている。「絶対的な社会主義があっての市場経済」であるというのが習主席である。

今年に入り、冬の新型コロナウイルス蔓延と夏の豪雨被害によって、経済が悪化。またアメリカとの関係も、「新冷戦」と呼ばれるほど悪化していった。それに伴って、社会主義派に対する「市場経済重視派」も台頭してきた。

「市場経済」（経済的な開放）を重視するのが李克強首相と王岐山副主席である。王岐山副主席は習近平体制の1期目5年は、国内の紀律担当だから、「社会主義」の側に立ってきた。ところが副主席に就いた2期目は、「市場経済」の側につき始めた。

王岐山副主席と李克強首相、それにアリババ創業者馬氏などの民間経営者は「市場経済」を主張している。

中国は独裁国家であり習主席の権力は強大である。「市場経済」を主張している側は弾圧されて弱体化させられている。

独裁者習主席の強大な権力が通用しないのが中国が莫大な貿易黒字を得ている米国と経済の法則である。

米中貿易交渉で知的財産の保護、技術転換の禁止、金融サービスの自由化、100%米国資本企業の進出等々の米国の要求を中国は同意させられた。中国企業の社会主義強化とは反対に米国企業には自由を許したのである。習主席の社会主義は米国には通用しなかった。

経済の法則は政治で変えることはできない。経済の法則にあった政治をすれば経済は発展するし逆であれば経済は破綻する。

米国が断トツの経済大国になりソ連が経済破綻から崩壊したのは米国が経済法則にあった資本主義の自由競争政治をしたのに対しソ連が経済法則に反する国営の政治をしたからである。

習主席は汚職をなくし、政府が経営指導すれば国営企業を発展させることができると考えているようであるが発展させることはできない。国営の経営主導は政府の役人である。役人は政府からの給料がある。命がけで会社を発展させる情熱はない。会社を発展させるのは会社の収入が全ての民間の経営者である。会社の利益が大きければ収入は増え、収益が少なければ収入は減る。倒産すればゼロになる。ゼロどころか借金を抱えることになる。だから、民間の経営者は利益を上げるために必死になる。

国営の社会主義より民営の資本主義が発展することは歴史的にも理論的にも明確である。

国内企業は国営の社会主義が強化され、外国企業は民営の資本主義が強化されているのが中国である。中国企業は停滞し、外国企業は発展する中国になるのは間違いない。

アートハイク

南島の
草木に出でぬ
四季なれど
触れて匂わん
風は秋なり

　高校生の時に俳句に興味を持ち、俳句をつくるようになったが、困ったのが季語であった。俳句には必ず季節を表す季語を使わなければならないという。しかし、高校生には春夏秋冬、花、枯れ葉などしか分からない。

岩に生ゆ小さな気にも赤二つ

のように俳句をつくった。しかし、亜熱帯の沖縄には四季ごとに自然は変わらないし、冬に花がさいているし、秋になっても枯れ葉になる木はほとんどない。春は花で表現することはできても秋を表現できる自然現象を見つけるのは困難であった。苦し紛れにつくったのが「南東の」の短歌である。この気持ちを字数の関係で俳句では表現できなかった。短歌でしか表現できなかった。季節にこだわったら沖縄では俳句をつくるのが難しいのと季語の勉強をする気もなかった私は季語に固執しなくなった。

　詩は叙事詩、叙景詩、抒情詩と発展してきた。叙事詩は古事記のように物語性が強い、叙景詩は和歌・俳句のように自然風景を描く。抒情詩は感情を中心に描く。現代詩は抒情詩である。であるから俳句を抒情詩としてつくっていこうと考えるようになった。ただ、熱心に俳句つくりをやっていないし、こつこつとやっているわけでもない。急に書きたくなる時があって、その時につくっている。多分、仕事でストレスがたまった時だろう。

　写真に俳句や詩を書き込みたくなったが、ワードではできない。息子に聞いたら、フォトデラックスというのがあり、息子は持っていて、私にくれた。説明書もなしにフォトデラックスを勉強した。写真に文字を書くことができた。フォトデラックスで写真から抽象画のようなのをつくれるようになった。写真を自由自在に変形してつくったのがアートハイクである。自由で楽しい。

アートハイク

嵐来て
裸にされた
パパイアよ
生きろ
生きろ

暴風に
なぎ倒されて
秋が過ぎ

我の実を
愛しみ生きる
バナナかな

あけてゆく
独りの夜に
赤い花

きみ想うさびしく 独り
春の酒

おまえと
野を
行き
微笑みも
遠い日

独り
はげしくも
せつなく燃えて
さびしさよ
燃えん燃えん
独り
独り
燃えて
ああ
もう
昔々の
ことさ

俺の目は
幸と不幸に
揺れ続け

シーサーよ
俺を睨むのは
やめてくれ

くそったれ
なにがなんでも
生きぬくぞ

遠くても
近くても
ああ
届かない

見上げれば
黙して照らす
欠けた月

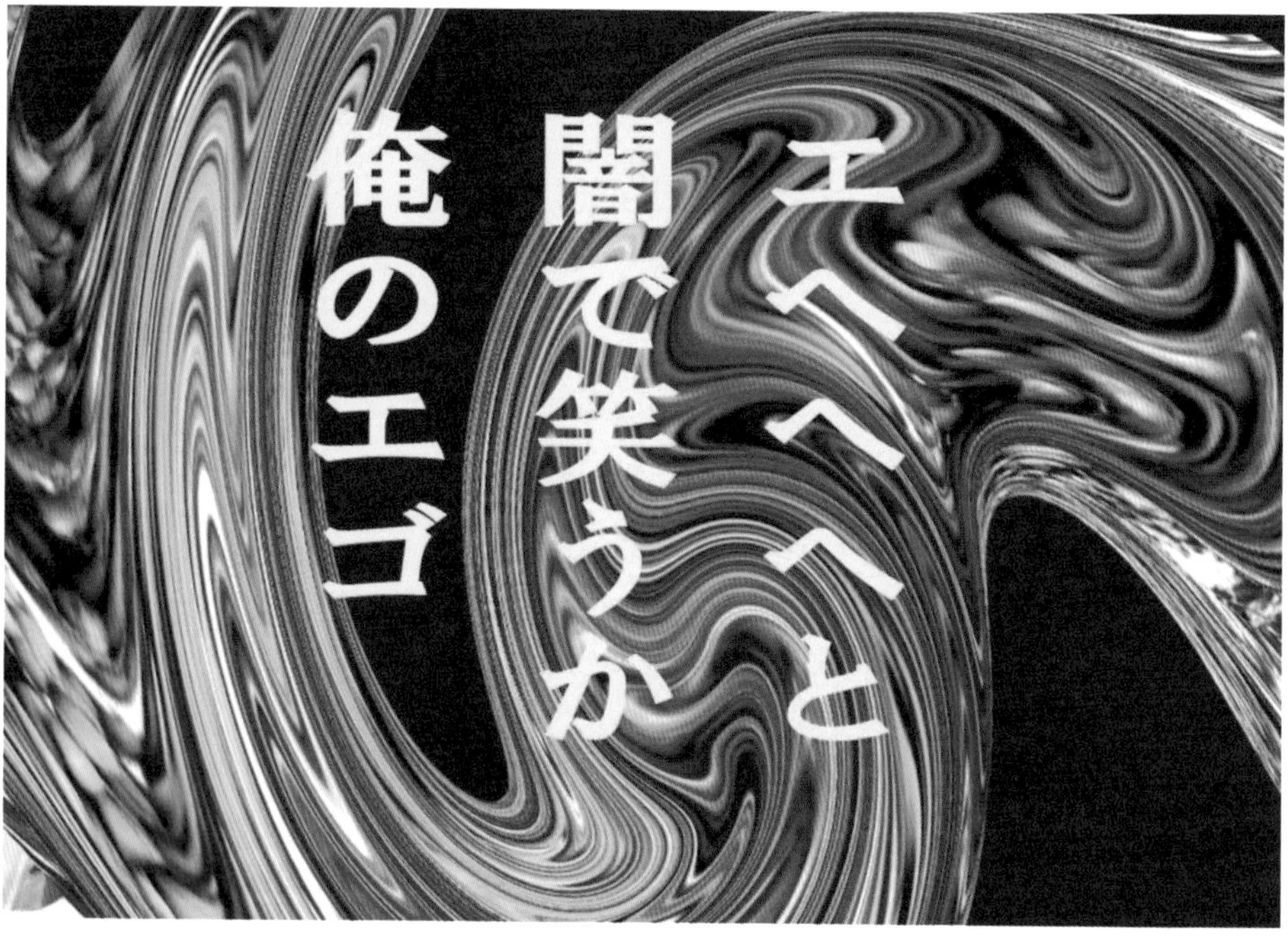
エヘヘと
闇で笑うか
俺のエゴ

こおろぎの
潜む闇から
リーンリン

ゆらゆらと
悩み泳いで
浮世かな

じいさんが
死んで畑は
草の下

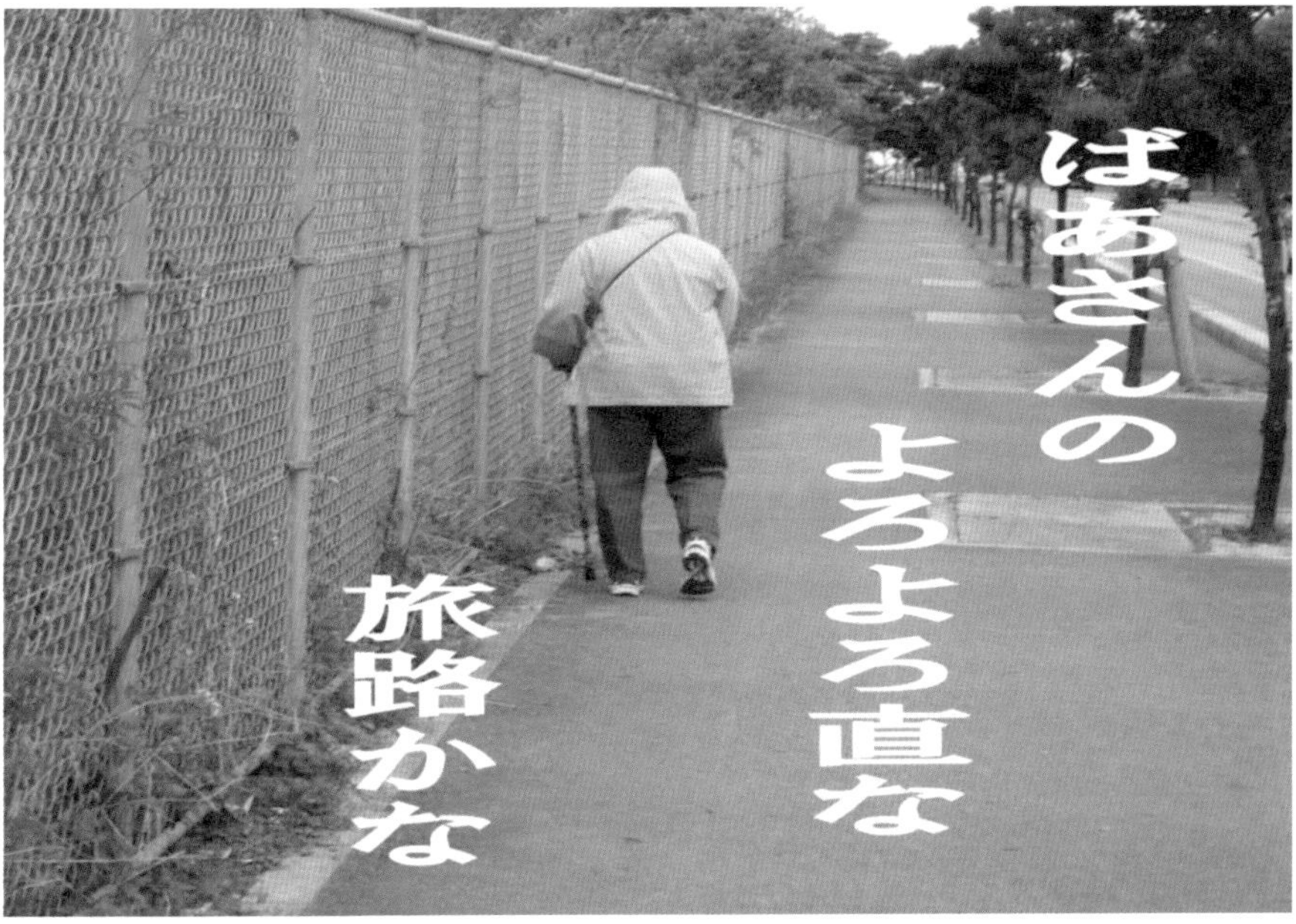
ばあさんの
よろよろ直な
旅路かな

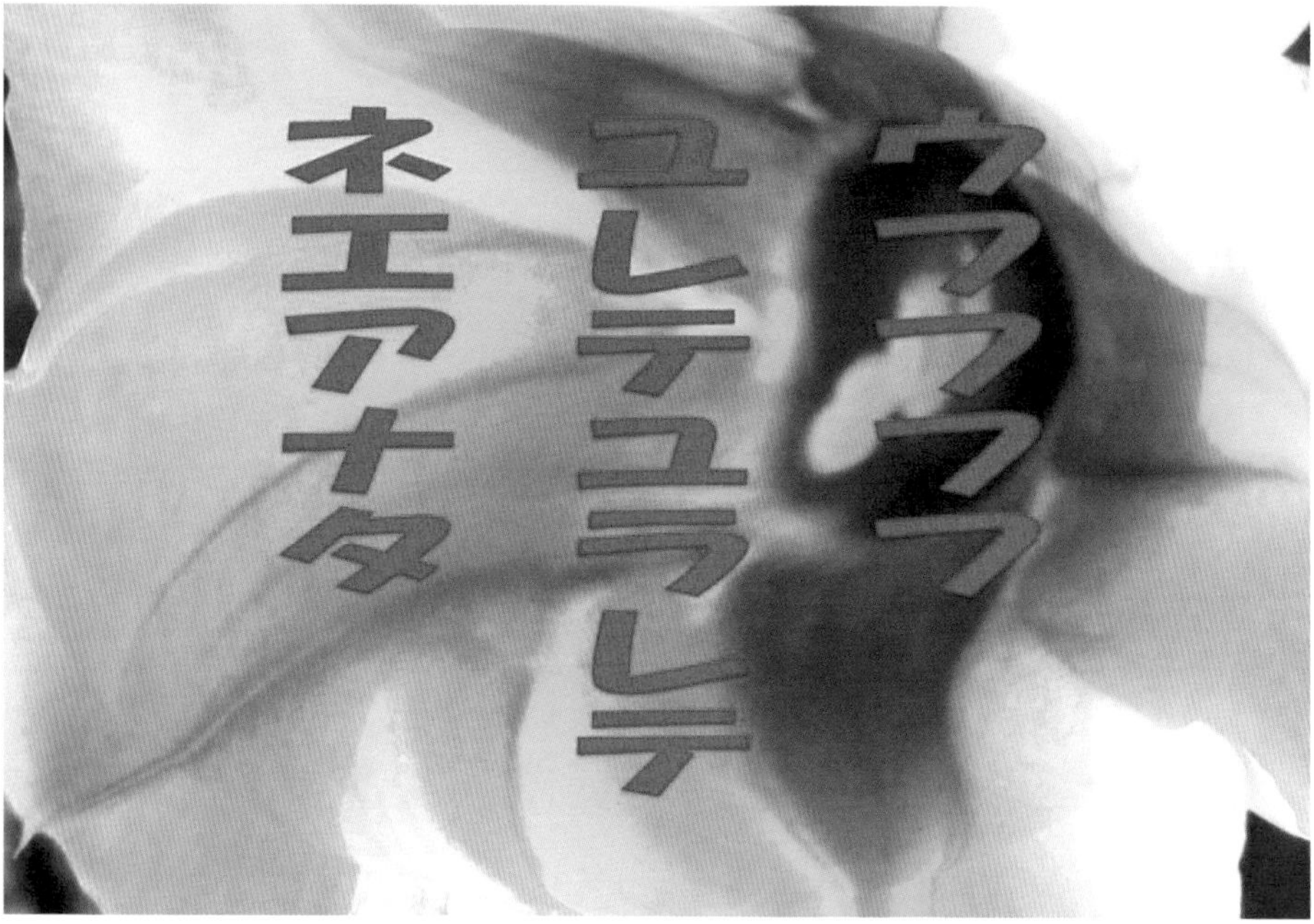
ウフフフ
ユレテユラレテ
ネエアナタ

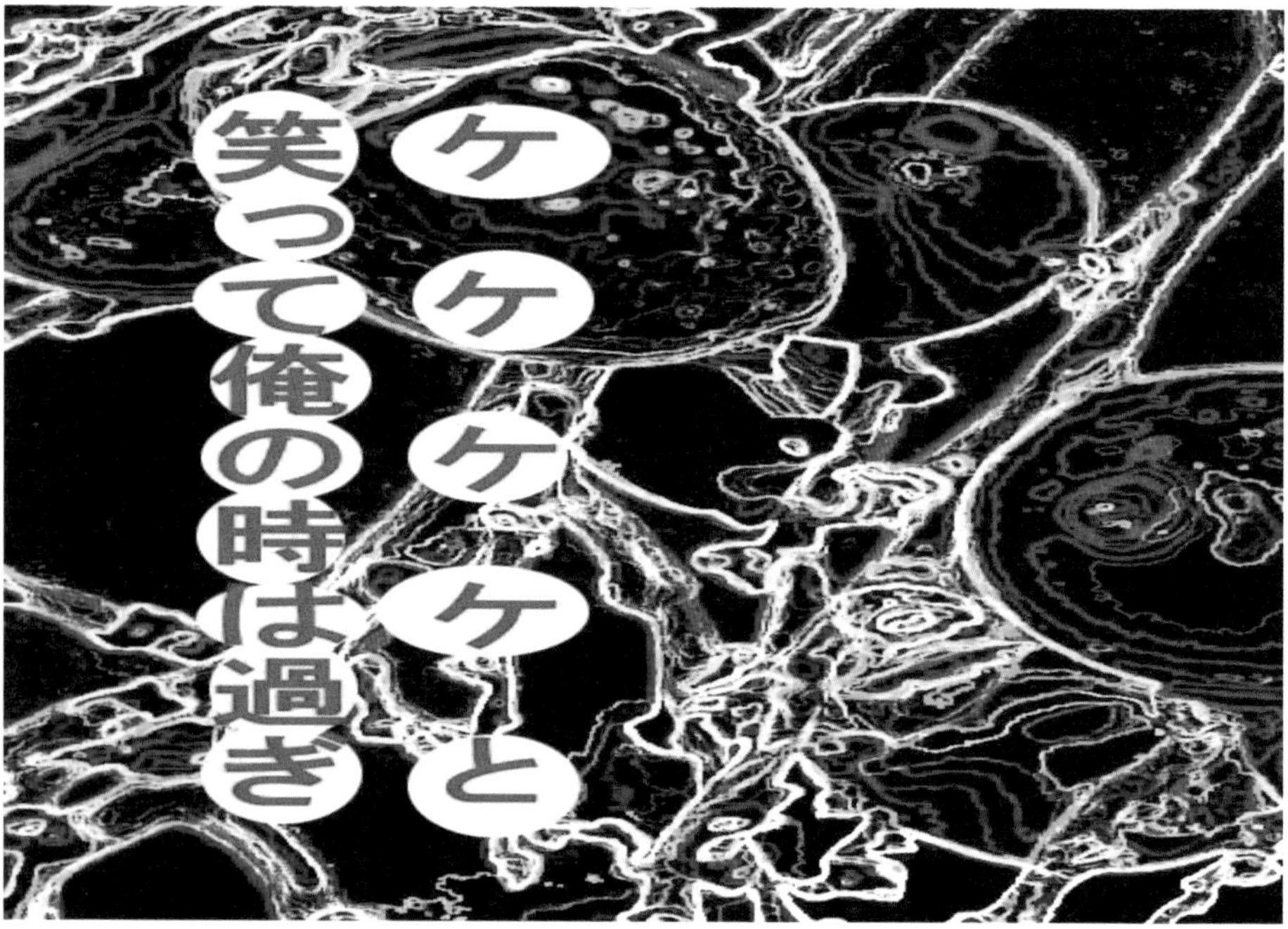
ケケケケと
笑って俺の時は過ぎ

たくましく闇に輝く枯れ木かな

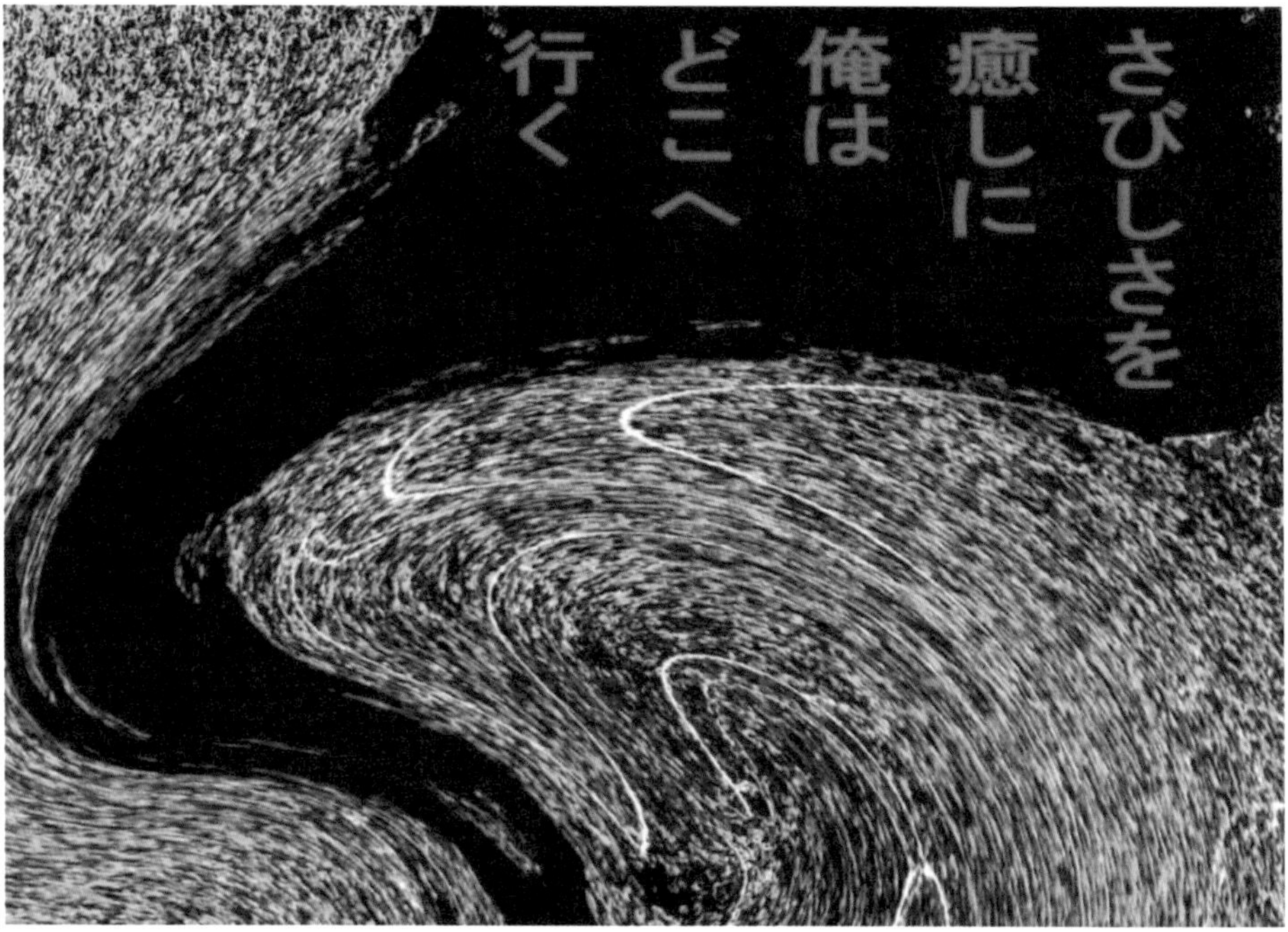
さびしさを
癒しに
俺は
どこへ
行く

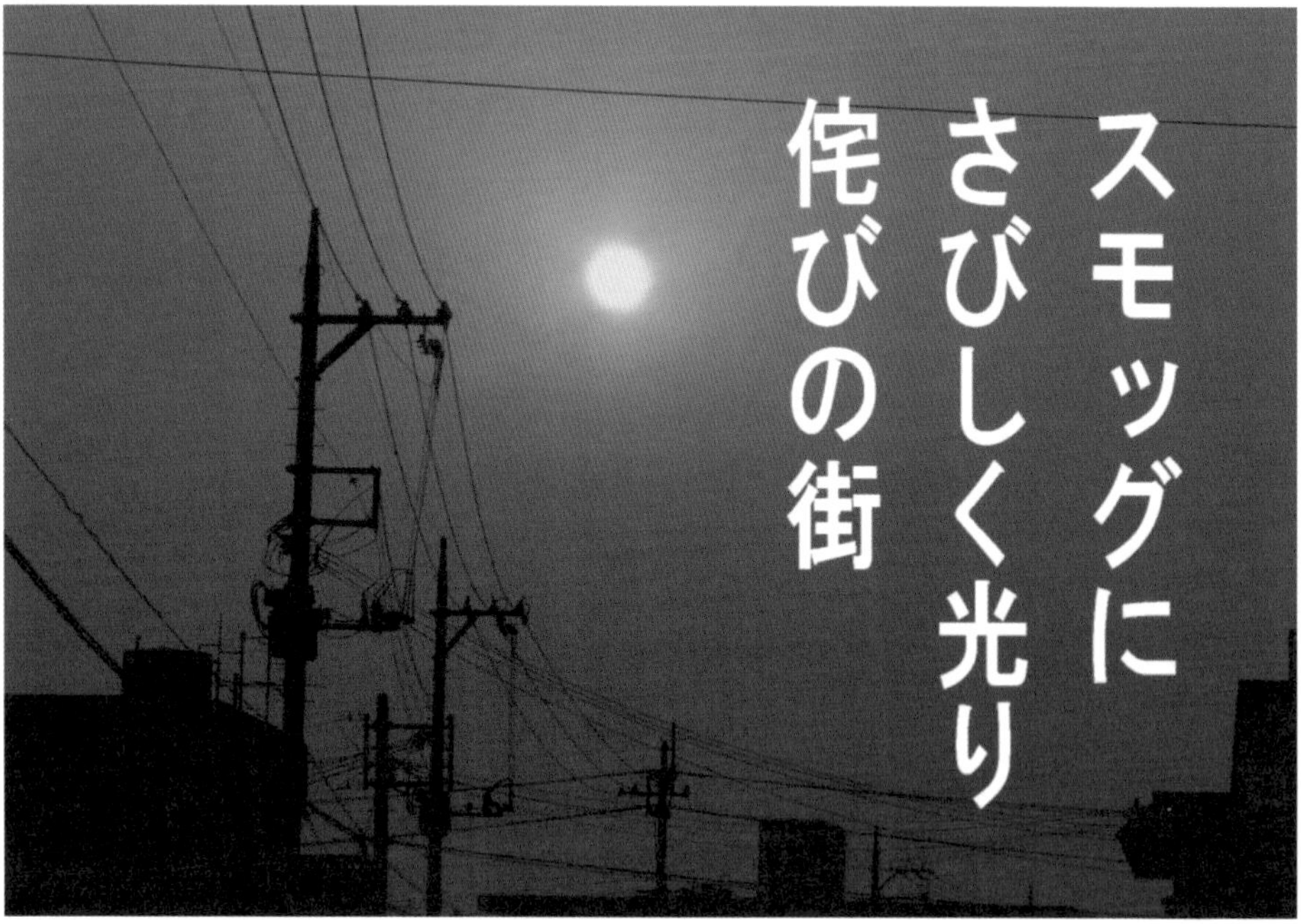
スモッグに
さびしく光り
侘びの街

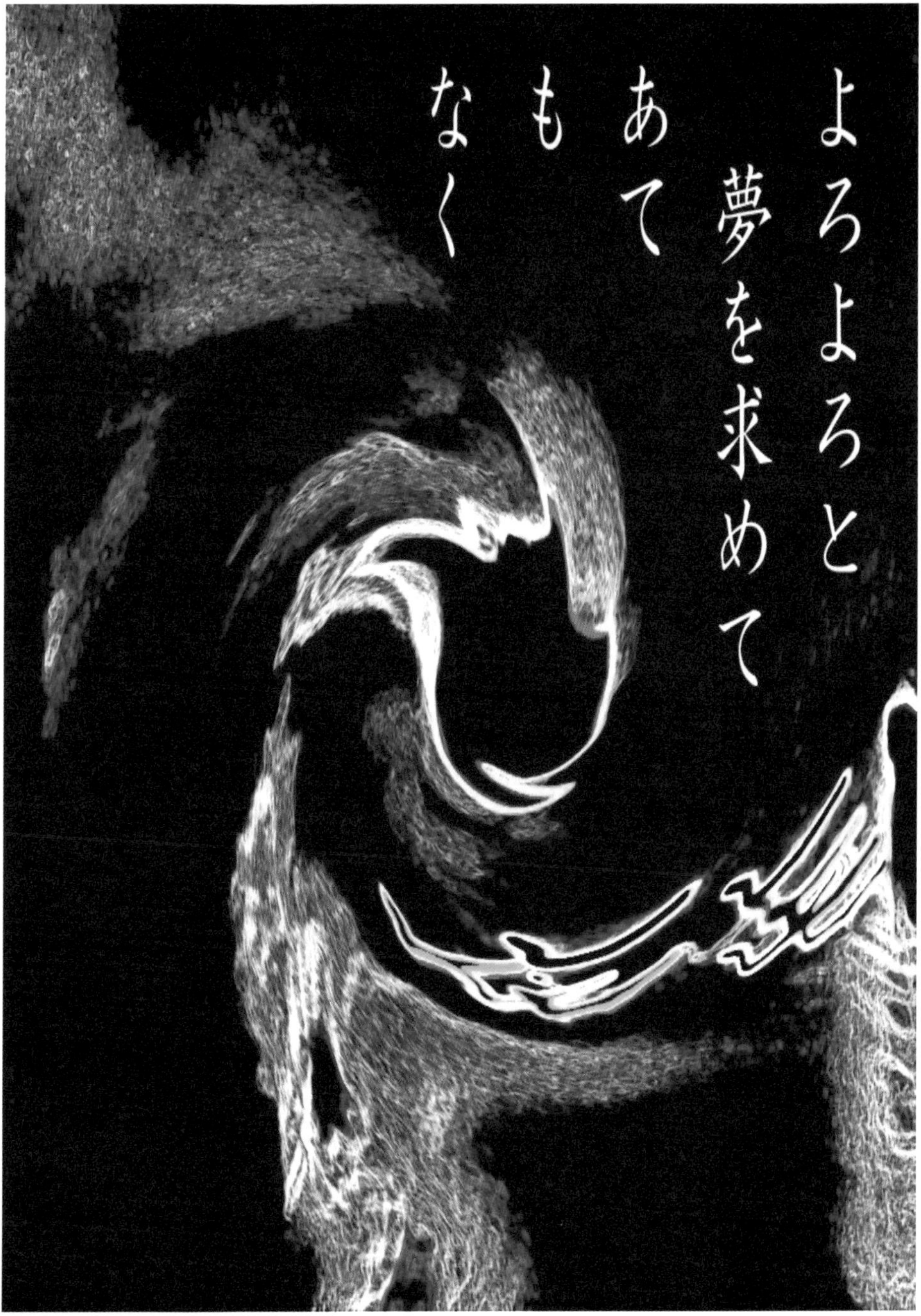
よろよろと
夢を求めて
あて
も
なく

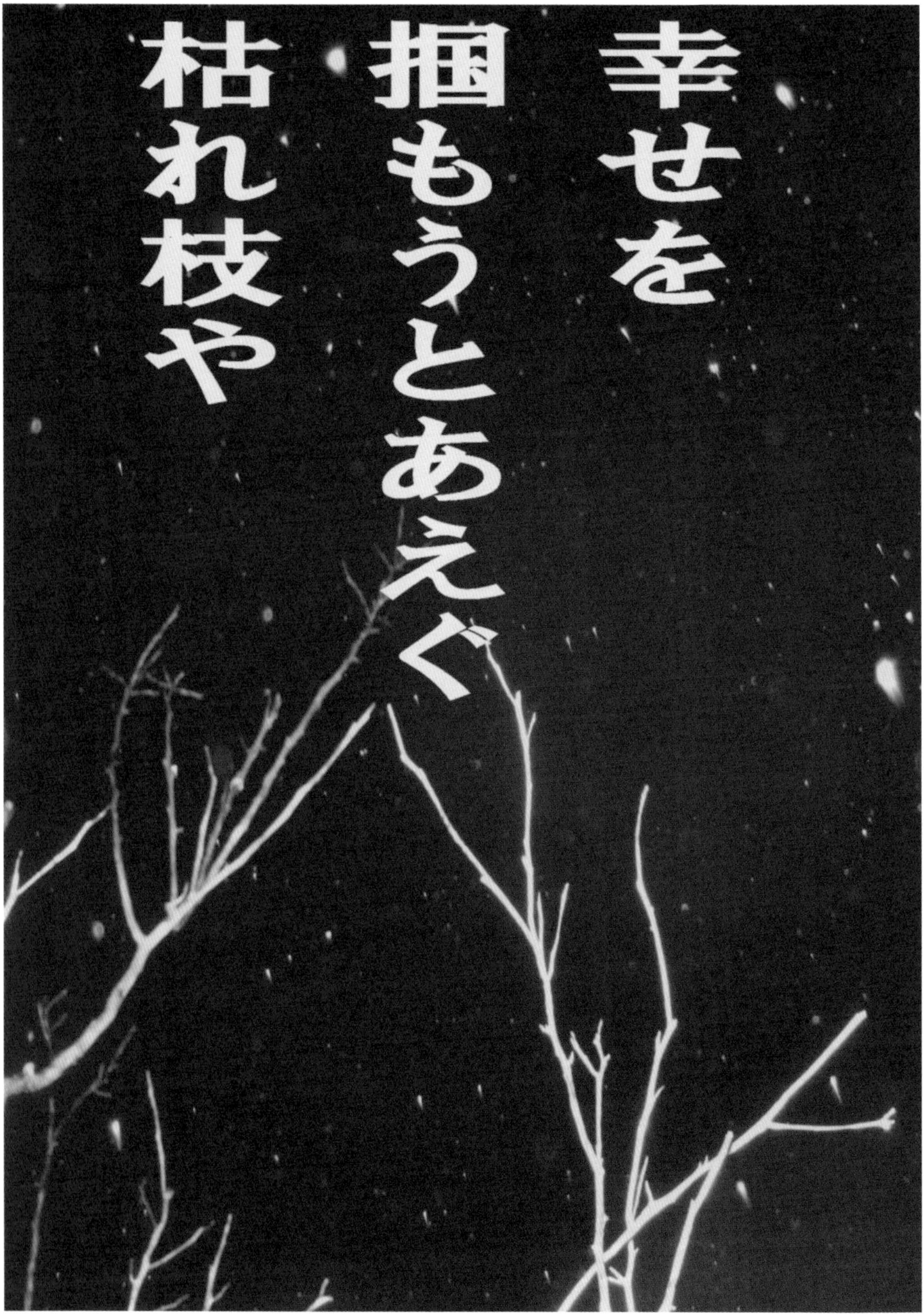
幸せを
掴もうとあえぐ
枯れ枝や

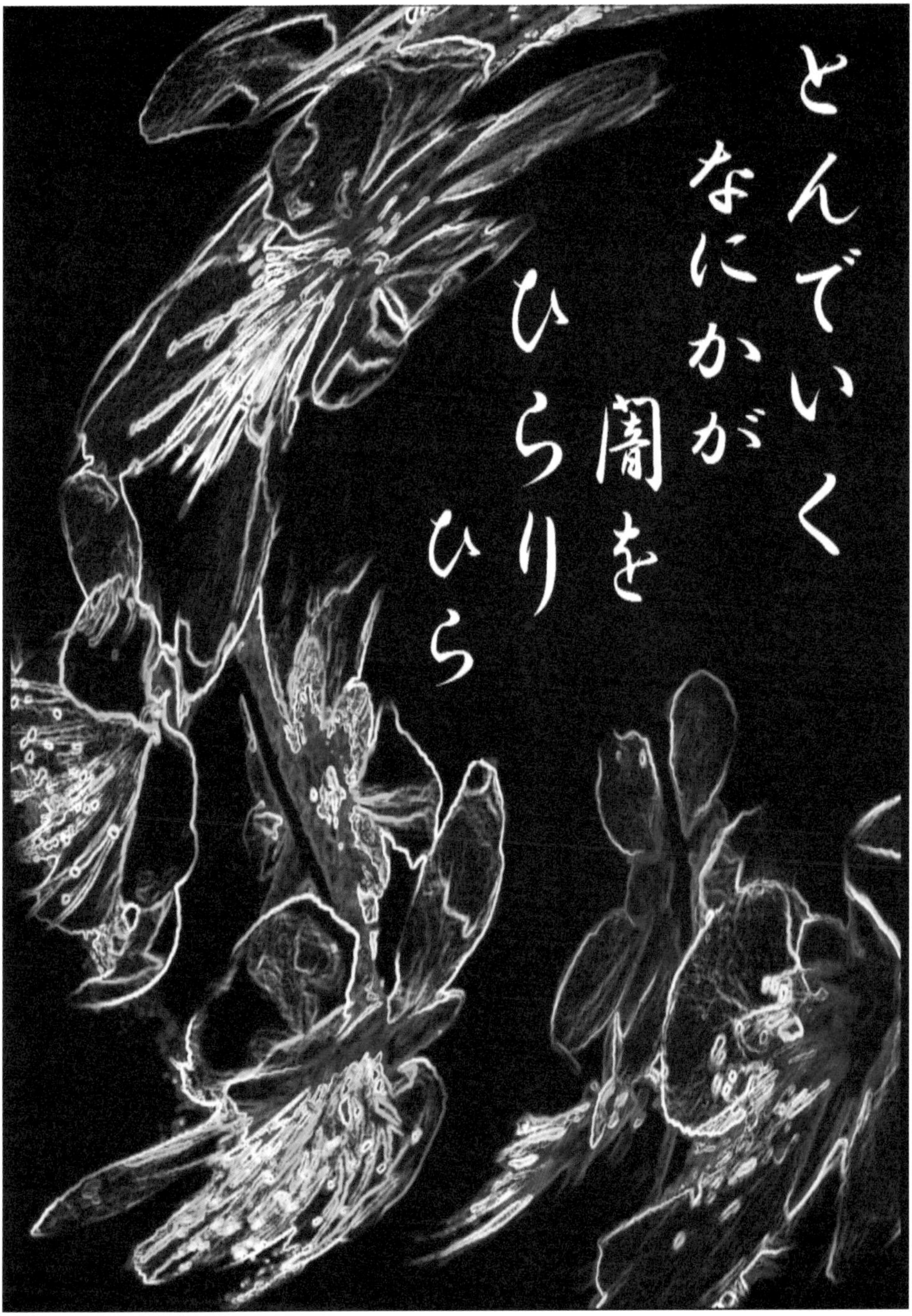
とんでいく
なにかが
闇を
ひらり
ひら

酒を吐き
息詰まり　あなたに
会いたい

歪みゆく
俺のこころに
茜色

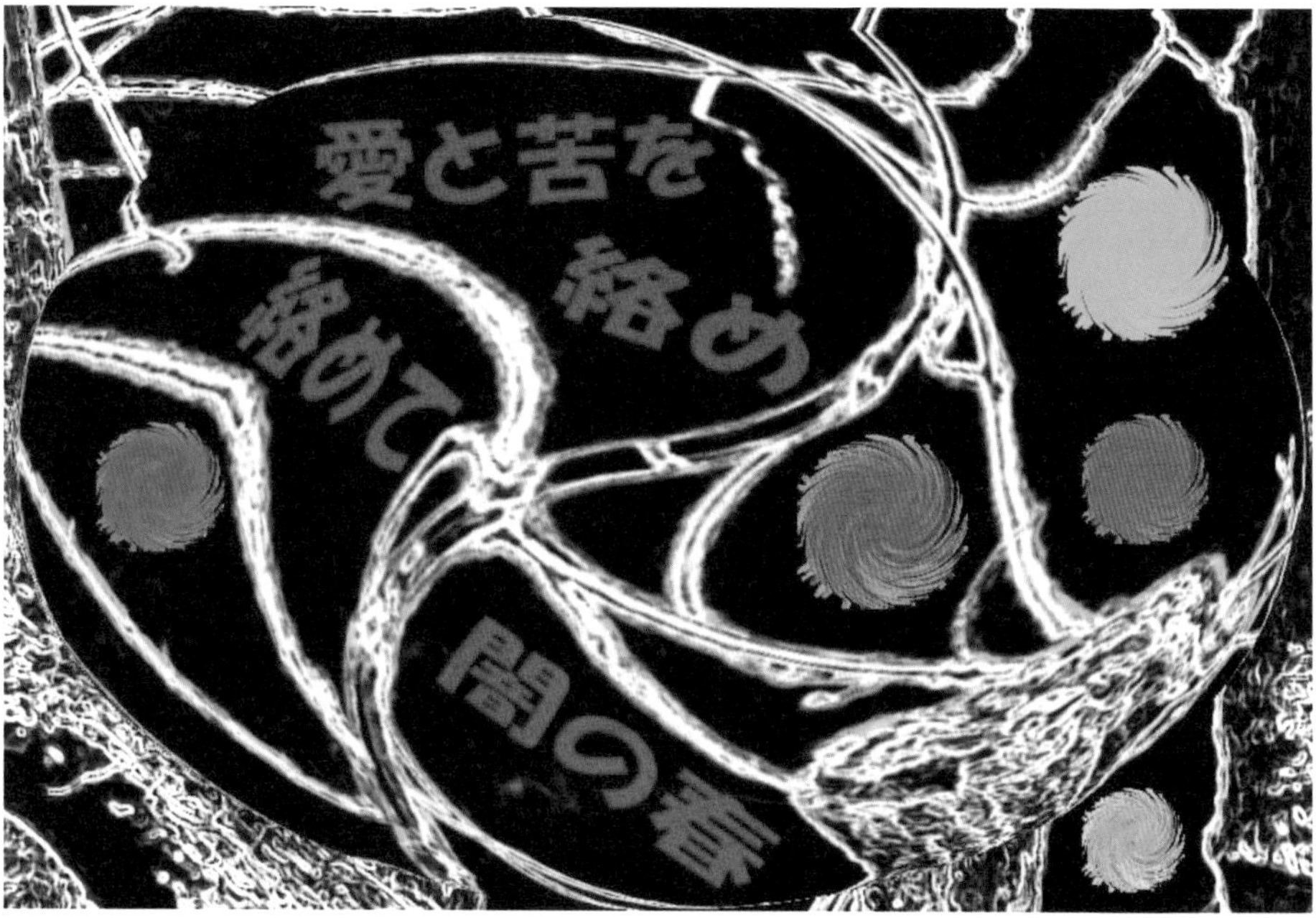
愛と苦を
絡め
絡めて
闇の春

ありったけを
散らして俺の
今日の闇

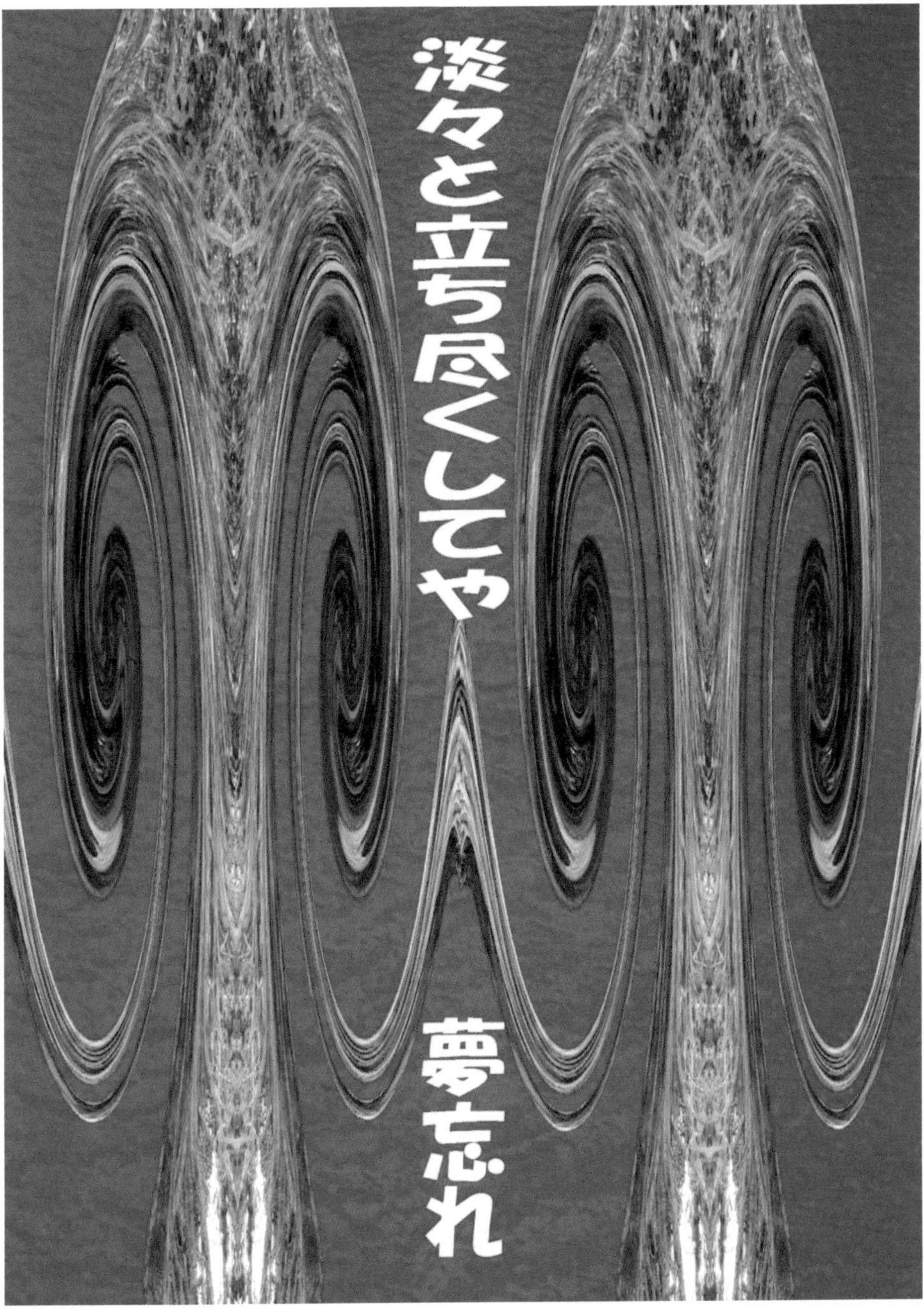
淡々と立ち尽くしてや
夢忘れ

風もなく
なにごともなく
春の刻

冬の陽にのんびり生きる
チンヌクよ

公園の
がじゅまるの髭
そろそろと

少女らの
春の陽の下
おままごと

やわらかな
日差しを浴びて
春の昼

雨あがり
春を
まぶしく
ゆうなかな

4・6・4　アートハイク

車か
橋の上か
よたよた

もどれよ
いう人なし
ふるさと

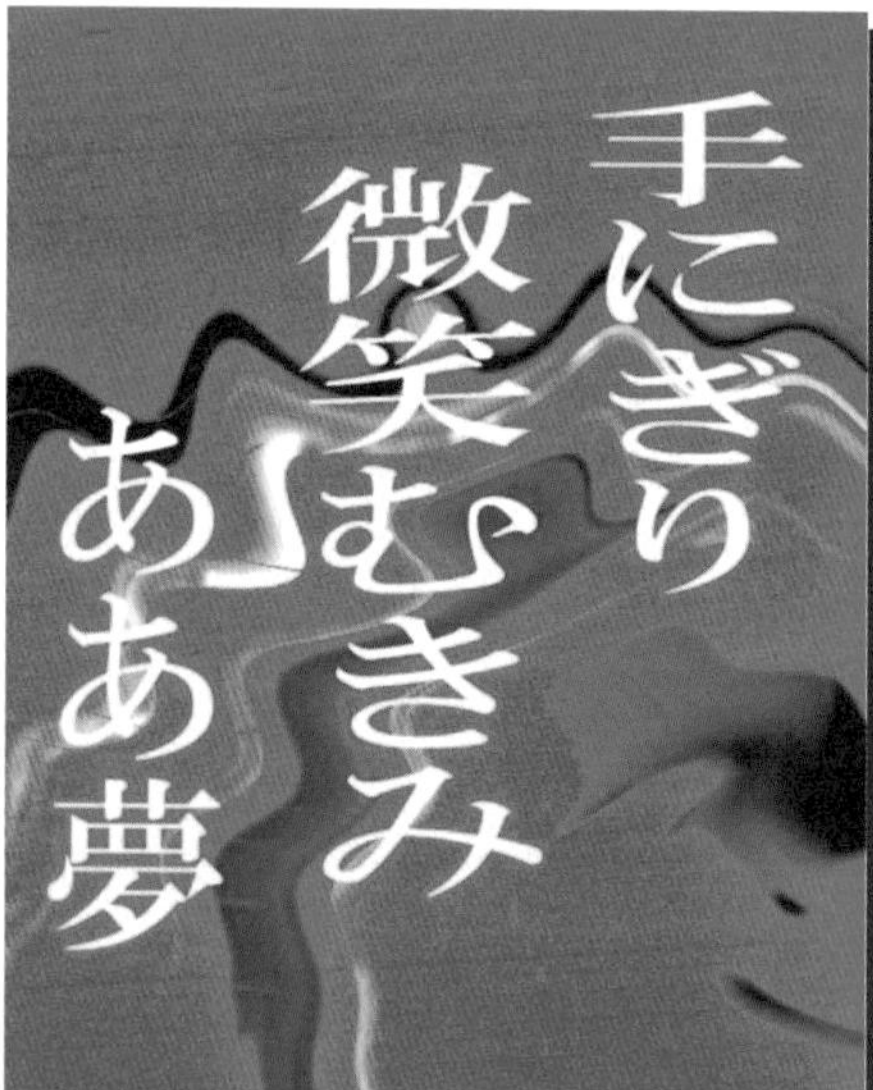
手にぎり
微笑むきみ
ああ夢

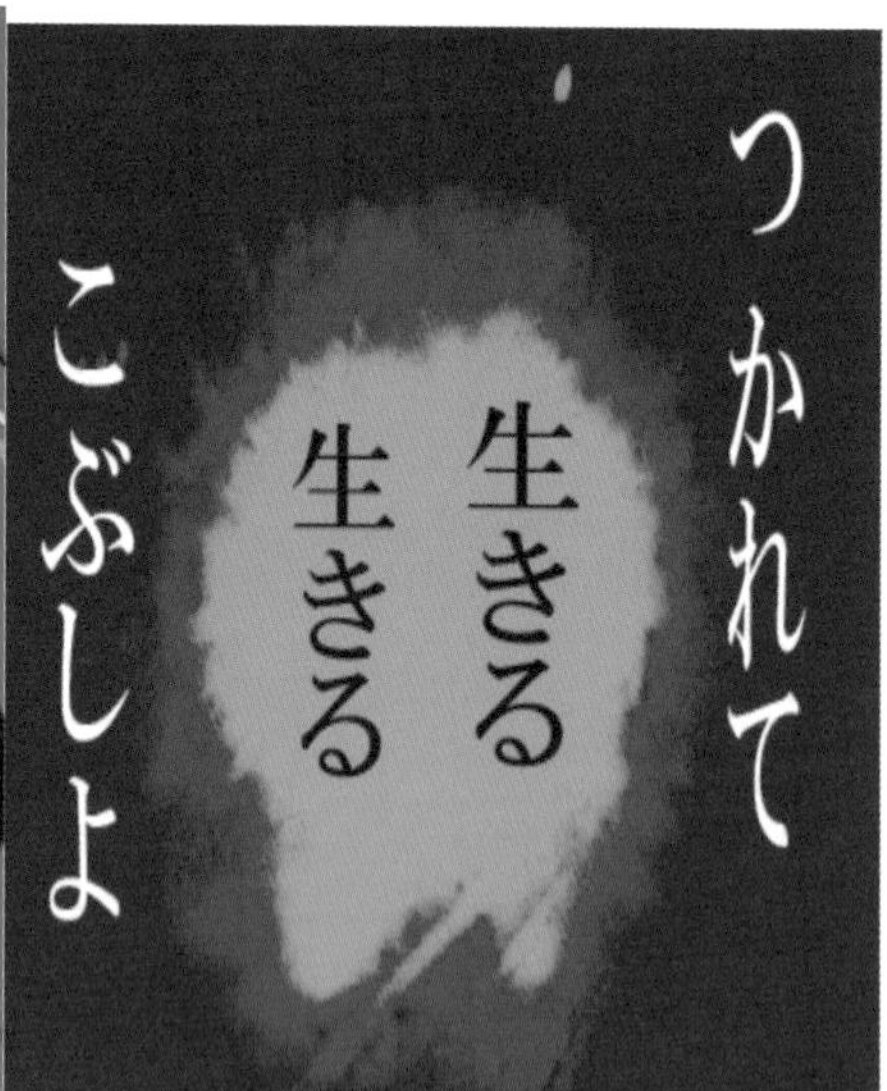
つかれて
生きる生きる
こぶしよ

4・6・4　アートハイク

俳句

足を組み
手を組み　時が
冬の風

春にはね
ゆったりとね
眠りたい

刻々と
春の鉛に
なる身かな

生きていく
夢と汗に
疲れ身よ

やさしさを
求めて　夜の
溺れ酒

降れよ降れよ
俺に無縁な
・・・・

血脈を
白く白くに
脳と酒

ひとしずく
舌にからまり
夢ボーっと

オレは今
何をしている
ブッソーゲ

夢を切る
脳を裂く裂く
白昼夢

うずくまる
このこの心
昼の裏

ふっよぎる
十六の夢
ふっ消える

赤女
夢を切って
月おぼろ

息子よ
変なオヤジは
普通なり

叩け叩け
俺の生まれ
今の縁

コンバンワ
月と
冷たい
あわもりと

ギューッと
尻から這いずる
淋しさよ

いわれない
延髄縛り
泣きたいね

座禅する
深夜の床の
淋しさよ

堕ちてくる
夢・刻・運命
街の日々

こぶしが
溶けていく昼
ずきっと死

何を
愛せば
何を
恨めば
至福

いちにちが
ただいちにちと
めくられて

カタッと　や
目が起きて　脳
むずがゆい

生きて生きて
ズーッと生きて
風の窓

キョトーン
座る公園
蝉しぐれ

カチカチカチ
キリリキリ
なぜ
俺は無能

ほらね今
ヒビ割れ心
笑っている

ヘラヘラと
あなたと俺の
浮世かな

この風は
今日でアジアを
過ぎるのか

もの言わず
風はアジアを
過ぎていく

何が生き
がい　なにが不幸
ああ　なにが

冬を見て
鏡の俺見て
ヤモリ鳴く

脳を切り
耳鼻切って
眠りたい

俺の死が
くるまるように
眠ってる

酒で
脳が　ヨヨヨ
こりゃあ
しあわせだ

我が夢は
行方なくて
朝が来る

草があり
松があり　風
が　そよそよと

朝が来て
昼が来て　また
夜が来る

俺の生
今日　うろうろ
明日　ウロウロ

生きるのは
もういい　夢が
朽ちたから

黒の子犬がね
ふふふふ
家出した

昨夜のこと
部屋の闇から
涙した

夢は腐れ
部屋はゆがんで
窓の百合

ハタライテ
ハタライテ　夢
鬱の底

何が　夢
何が生きがい
虚の内で

へへへへと
街に穴を掘り
堕ちていく

腕はネジ
足はネジ　脳
うずきだす

キリキリと
キリリの隙間に
夢求め

ハンドルを
回して日々は
過ぎていく

今日も生き
明日も生き　ふう
脳はヒビ

ホーラホラ
腕がねじれて
昼のドブ

カネカネと
イライラと　生
は　もだえる

血が止まり
脳がぐるぐる
夢はヒビ

キリリキリ
深夜の脳が
狂う狂う

突き立てて
後ろを向いて
今日の鬱

山路来て
心洗われぬ
俺になり

街の灯を
こぶしでつぶす
酒の日々

煙草吸う
脳に明日が
遠くなり

神経が
疲れ果てて
ひるヒル昼

狂い泣く
夏のカーブの
闇の死児

俺は
何を求めて
生きているのか

人々の
しあわせ哀れ
金呪縛

生き抜いた
ナス　死んだナス
春が来た

具志川のキャンプコートニー前にあった食堂跡の家。老人夫婦がやていた。食堂名が「部隊前食堂」。食堂は20年前に閉めた。

昔の味の沖縄カレーが好きで毎日食べた。そして昼寝した。

ジジババよ
食いに来たぜよ
カレーライス

よたよたと
ほろよい愛の
部隊前食堂

アイヨっと
カレーライス
部隊前食堂

やさしさが
舌に　ジジババの
カレーだよ

やさしさが
ほんわかジジババ
カレー

食後の眠り
のどかな
部隊前食堂

部隊前食堂
今は
シャッター閉じ

ジジの死
途絶える俺の
カレーライス

ジジババよ
バイバイ　頬に
春の風

死もまた
幸　部隊前
食堂

錆びついた
シャッター
今日も素通り

ジジババの
錆びたシャッター
永遠に閉じ

黒いフランケン最終回

「そうですか。ミスターＮ・Ｈの知覚神経はこうもりと似ている知覚神経なのでしょうか。」

ロバートが仲里に聞いた時、外野席が赤く輝き熱風が襲ってきた。火炎放射器が火柱を放ち、火柱がミスターＮ・Ｈの全身を覆い包んだ。

「オーノー。」

ロバートは絶叫した。横一直線の火柱はミスターＮ・Ｈの全身に激しくぶつかりミスターＮ・Ｈは火達磨になった。ミスターＮ・Ｈの体にぶつかった炎が四方八方に飛び散った。炎に包まれたミスターＮ・Ｈはよろけながら歩いている。動きは鈍くなり今にも倒れそうだ。ロバートは立ち上がり大声で抗議した。するとどこからかロバートをめがけて弾丸が連続して飛んできた。弾丸のひとつがロバートの肩を射抜いた。ロバートは肩を射抜かれて後ろに倒れこんだ。

「仲里。ここは危ない。逃げよう。」

啓四郎と仲里は肩から血を流しているロバートを連れて、身を屈めながら移動して、出入口から球場の下に逃げた。

ミスターＮ・Ｈは炎に包まれて外野をよろけながら歩いた。火炎放射器の炎で焼かれたためなのだろうか体は小さくなり動きは鈍くなっていた。

「隊長、もう一度火炎放射器を放ちますか。」

「待て。様子を見よう。」

ミスターＮ・Ｈの体から炎は消えて雨水が水蒸気となりミスターＮ・Ｈの体から白い煙が立ち昇った。ケイン隊長は双眼鏡でミスターＮ・Ｈの体を観察した。ニメートルを越す巨人が二十センチ程小さくなっていた。火炎放射器の炎で焼かれたために小さくなったとケイン隊長は期待したが、双眼鏡で見るミスターＮ・Ｈは炎で焼かれて小さくなったにしては体形が変わっていない。焼かれたというより収縮したように見える。収縮して密度が高くなった性かミスターＮ・Ｈの表面は黒光りしている。

「少しも焼けた後がない。」

と言ってウォーカー軍曹に双眼鏡を渡した。

「もう一度火炎放射器を発射しろ。」

ケイン隊長の指示を受けたウォーカー軍曹が大

声で号令すると、再び火炎放射器の火柱がミスターN・Hに向かって走った。ミスターN・Hは炎に包まれ、ミスターN・Hの体はさらに小さくなって動きは鈍くなっていった。

「焼け焦げはしないが明らかに体は小さくなり動きは鈍くなっている。」

「隊長、このまま火炎放射器で攻撃し続ければミスターN・Hは死ぬ可能性があります。火炎放射器攻撃を続行しますか。」

ケイン隊長はできるなら生け捕りにするように上から命令されていた。ケイン隊長はどうするか迷った。その時、火炎放射器の燃料が切れたので燃料を補給しなければならないという連絡が入って来た。

「よし、火炎放射器の燃料補給の間にミスターN・Hを捕獲してみよう。」

ウォーカー軍曹の号令で十数名の迷彩服の兵士が外野の奥で動かなくなったミスターN・Hを捕獲するためにまわりを囲んだ。用心しながら輪を狭めて生け捕りにしようとしたが、火炎放射器の炎に包まれた後のミスターN・Hの体は数百度もあり、手を触れることができる状態ではなかった。

「ケイン隊長。ミスターN・Hの体が高温なために手を触れることができません。ミスターN・Hを捕獲するためには防火服が必要です。防火服の手配をして下さい。」

ミスターN・H捕獲に行ったウォーカー軍曹から無線連絡が入った。ケイン隊長は部下に命令して隣接するカデナアメリカ空軍基地の消防署に連絡を入れ、消防車を手配させた。

「十分後に消防車が到着する。防火服を十着準備するから、ウォーカー軍曹、防火服を着ける兵士を選べ。屈強な奴を選ぶのだぞ。」

「分かりました。」


体温が下がるに従ってミスターN・Hの動きが戻ってきた。体も少しづつ大きくなっている。ミスターN・Hは外野席に向かって歩き始めた。ひとりの兵士がミスターN・Hに組み付いたがまだ百度を越す体温のミスターN・Hの腕に殴られて火傷を負い、グランドの上でのた打ち回った。

「手を出すな。もう直ぐ防火服が来る。」

ウォーカー軍曹は兵士達に注意した。周囲の迷彩服の兵士たちはミスターN・Hの周りを囲んで移動した。ミスターＮ・Ｈは外野席の壁の縁に立ち両手を上げた。すると両手が伸びていって油圧式クレーンのようにするすると腕が伸びていって三メートルもある外野席の壁の縁を掴んだ。外野席の縁を掴んでいる腕が縮んでいきミスターＮ・Ｈの体は浮いていった。ミスターＮ・Ｈは外野席に入った。

「トニー、ミッチャム、アームストロング。」

ウォーカー軍曹は機関銃を携帯している三人を呼び、ミスターＮ・Ｈに向かって機関銃を発射させた。コンクリートの壁は無数の火花を発した。ミスターＮ・Ｈは銃弾に叩きつけられて外野席に倒れると思われたが、体が小さくなったミスターＮ・Ｈの体は硬くなり頑強になっていて機関銃から発射された銃弾を跳ね返した。

「ウォーカー軍曹。防火服に着替えた隊員をお前の方に向かわす。」

ケイン隊長からの連絡にウォーカー軍曹は、

「ケイン隊長。防護服の隊員は外野席に移動させて下さい。」

十人の防火服を着けた隊員はトラックに乗り込むと外野席へ移動して梯子を掛けて外野席に移動した。外野席に上ったミスターＮ・Ｈはゆっくりと三塁側の観客席に向かって歩いていた。

防火服の兵士達は三塁側の観客席でミスターＮ・Ｈに追いついた。防火服の兵士による捕獲作戦が始まった。ミスターＮ・Ｈを囲んだ防火服の兵士は次々とミスターＮ・Ｈを掴んで倒そうとした。動作の鈍いミスターＮ・Ｈと防火服の兵士たちとの戦いはスローモーションのような戦いであった。三人がミスターＮ・Ｈに組み付いて倒そうとしたがミスターＮ・Ｈは三人を引き摺って歩いた。ミスターＮ・Ｈの動きは遅いが足取りはしっかりとしていて力は超人級であった。ミスターＮ・Ｈに組み付いた防火服の兵士を掴んだ腕力は桁違いに強く防火服を掴むとゆっくり体から引き離して持ち上げると観客席からグランドに投げた。横から組み付いた防火服の兵士は簡単に観客席に転がされた。

「隊長。ミスターＮ・Ｈは強すぎます。火炎放射で動きを止めないと捕獲するのは無理です。」

ケイン隊長はやっとミスターＮ・Ｈを捕獲するめどがついた。機関銃の銃弾に平気であり強靭な肉体を持つミスターＮ・Ｈを捕獲するのは不可能に思えた。しかし、ミスターＮ・Ｈは火炎放射をすれば小さくなり動かなくなる。火炎を徹底して放ち、動けなくなったミスターN・Hを防火服の兵士が格納庫に運ぶことでけりをつけることができる。ケイン隊長は計画の手順をウォーカー軍曹に伝え、ウォーカー軍曹に指揮することを命じた。

「ウォーカー軍曹。火炎放射器を三塁観客席に向かわせろ。ミスターNHの動きが止まるまで火炎を放射し続けるのだ。それからミスターN・Hを格納するトレーラーを三塁側の壁に横付けさせろ。」

「分かりました。」

ウォーカー軍曹は防火服の兵士ミスターN・Hから離れるように命令し、火炎放射器を担いでいるダンを三塁側の観客席に向かわせた。


ケイン隊長に上司から無線電話が入ってきた。これ以上は日本の警察を押さえ込むことは困難であり一刻も早くミスターN・Hを処理するようにという命令であった。コザシティー野球場一帯の道路はMPのパトカー五台を配置して交通止めにしてある。M・Pは一般の車だけでなく日本のパトカーもコザシティー野球場に近づくことを禁じていた。このような日本の領土であることを無視した行為は許されることではない。異常を察知した日本の警察がアメリカ沖縄司令部になぜMPがコザシティー野球場一帯を通行止めにしているのか問い合わせてきたのだ。軍事機密上のトラブルであり明らかにすることはできないと返答したが日本警察の承諾なしにMPが長時間通行止めをするのは越権行為だとして日本の警察は通行止めの理由を明らかにし日本の警察に対する通行止めを解除するように要求してきて日本の警察とアメリカ司令部が揉めていた。ミスターN・Hの処理をこれ以上長引かせると日本警察の介入を許さざるを得ない。それにマスコミにでも知られたらアメリカ軍の横暴な行為としてマスコミや市民に猛抗議される。道路封鎖する時間が長ければ長いほど沖縄警察の抗議は強まり、弁解が困難になる。アメリカ司令部はそのことを最も恐れていた。

「分かりました。ミスターN・Hは三十分以内に処理します。」

ケイン隊長は返答して電話を切った。ケイン隊長はミスターN・Hを捕獲することに自信があった。

火炎放射をやって気づいたことはミスターN・Hは高温になると体が収縮して動きが鈍くなることだ。火炎放射を放ち続ければますます体は収縮して硬直してしまうだろう。硬直させてしまえば防火服を着けた兵士たちが三塁側に横付けしたトレーラーの格納庫に運ぶのは簡単である。捕らえることが不可能に思えたミスターN・Hの捕獲作戦にやっと光明が見えてきたから司令部にケイン隊長はミスターN・Hは三十分以内に処理すると返答したのだ。

急に風が吹き、雷鳴が轟き雨が降ってきた。雨はすぐに土砂降りになった。激しい大粒の雨が高温のミスターN・Hの体に当たりジューと音を発してもうもうと白い噴煙のように水蒸気が舞い上がった。白い蒸気が体の回りを覆いミスターN・Hの姿が見えなくなった。

「ウォーカー軍曹。こっちからは白い蒸気の性でなにも見えない。ミスターN・Hはどんな様子だ。」

「雨で体が冷えてきたようです。体が次第に大きくなり動きも早くなってきています。」

「火炎放射器が着き次第ミスターN・Hに徹底して火炎を放射しろ。」

「今、ダンが来ました。」

「ウォーカー軍曹。のんびりとやる余裕はなくなった。日本の警察から抗議がきたらしい。私は三十分以内でミスターN・Hを処理するとトンプソン司令官に約束した。」

「え、三十分でですか。」

「そうだ。ミスターN・Hに徹底して火炎放射をするのだ。そしてミスターN・Hの動きが止まったら防火服の兵士が急いでトレーラーに運ぶのだ。この作戦はうまくいく筈だ。」

「分かりました。」

背中に燃料タンクを担いだダンがやって来た。

「ダン、急いで火炎放射器をぶっ放せ。」

ウォーカー軍曹は大声で防火服のダンに命令をした。

「軍曹。床が濡れていて火炎放射器を使うのには足場が悪いです。」

「ダン。贅沢を言うな。さっさと火炎を放射して、あの生意気な大男を火達磨にしろ。」

ダンはコンクリートの床を踏みつけながら、滑りにくい場所に足を置くとミスターN・Hに火炎放射器の筒を向けた。その時、ダンは何者かに後ろから追突されて前のめりに転倒した。ダンに追突したのはロバートだった。ロバートも勢いのままダンと一緒に転倒した。ロバートは這ってダンに近づき、ダンの背中にある燃料タンクの蓋を開けようとした。予期せぬ襲撃にウォーカー軍曹はあっけに取られたが直ぐに気を取り直して燃料タンクを掴んでいるロバートの腕を捕まえると襟を掴んで立たせて掴んでいる腕を捩じ上げた。

「おやおや、青瓢箪の学者さんじゃありませんか。」

ロバートの腕を締め上げながらにやりと笑ったが、すぐに戦場の厳しい顔に戻り、

「こいつをＭＰに引き渡せ。」

と部下にロバートを渡すとダンに駆け寄ってダンを助け起こした。

「火炎放射器は大丈夫か。」

「簡単に壊れるような代物ではないですよ。」

「よし、それじゃ、火炎放射をやれ。」

ケイン隊長から無線電話が入った。

「どうした。ウォーカー。トラブルか。」

「いいえ、大したことではありません。青臭い学者さんがちょっとちょっかいをやったものですから。捕まえてＭＰに引き渡しました。」

ケイン隊長は苦笑いをした。

「彼は特別に身分が保障されている。なにしろＣＩＡが招待した特別任務の学者さんらしいからな。ＭＰに渡すわけにはいかない。ロイに渡してやれ。」

「分かりました。」


ダンの火炎放射器から再び真っ赤な火柱がゴーッと吹き出した。黒い大男は一瞬の内に炎に包まれ、激しい勢いで黒い大男にぶつかった炎は火の粉を一面に散らした。

「ミスターＮ・Ｈの動きが止まったら下のトレーラーの格納庫に運べ。」

ウォーカー軍曹は防火服を着けた兵士に指示しながらミスターＮ・Ｈの様子を見つめた。炎に包まれたミスターＮ・Ｈは火炎放射から逃れるように観客席の上の方に進み始めた。

「ミスターＮ・Ｈを上に逃がすな。」

二人の防火服の兵士がミスターＮＨの上の方に回りミスターＮ・Ｈの行く手を阻んだ。激しい炎

の中でミスターN・Hと二人の防火服兵士の押し合いが始まった。二人はミスターN・Hに体当たりしてミスターN・Hを押し戻そうとしたが強靭なミスターN・Hは二人を押し返して観客席を上っていった。ミスターN・Hが一人の兵士の防火服を引きちぎった。防火服の腕を引きちぎられた兵士が「ギャー。」と悲鳴を上げ腕が炎に包まれながら転げ落ちた。横から飛び掛った防火服の兵士がミスターN・Hの顎を押し上げて後方に倒そうしたがミスターN・Hはびくともしない。ミスターN・Hの手が伸びて防火服の頭を掴んだ。兵士はミスターN・Hに防火服の頭を引き継ぎられて、一瞬の内に顔が炎で焼かれて悲鳴を上げることさえできないで倒れた。

ミスターN・Hは防火服の兵士達の攻撃を撥ね退けながら観客席の最上階に達した。ダンは雨で濡れている階段を上り、階段の中段までやって来ると、雨で濡れている階段を軍靴で擦って水気を拭い足場を固めてから火炎放射器の引き金を引いた。ボォーっと丸い真っ赤な火柱が一瞬の内にミスターN・Hを再び火達磨にした。真っ赤な炎の塊を浴びながらミスターN・Hはゆっくりと階段を昇る。防火服の兵士が階段を転げ落ちた。ウォーカー軍曹は防火服の兵士がミスターN・Hには無力であることを知り防火服の兵士はミスターN・Hから離れるように指示した。雨は小降りになっていた。

「ダン。雨が小降りになった。天も我々に味方したのだ。もっと接近して火炎をどんどん放射してミスターN・Hの体温を高めろ。ブラウンとハワードはダンをカバーしろ。」

雨に濡れている観客席の階段は滑りやすくて火炎を放射しているダンが足を滑らすと危険である。ブラウンとハワードはダンの腰をしっかりと掴んでダンの体を支えてゆっくりと階段を上った。火炎放射を浴びたミスターN・Hは次第に動きが鈍くなっていった。ミスターN・Hは観客席の最上階の通路を歩いてゆっくりと照明塔の方に進んだ。ダンの放つ火炎は容赦なくミスターN・Hに襲いかかる。ミスターN・Hが照明塔に手を掛けた。ミスターN・Hは照明塔に登ろうとしている様子である。ミスターN・Hが照明塔に登ってしまったらミスターN・Hを捕獲する作業が困難になる。ダンはミスターN・Hに接近して、最後の留めとばかりに間断なく火炎を放射した。照明塔に登りかけたミスターN・Hは動かなくなった。二メートルを越していた身長は百五十センチメートルに縮まっていた。

「ウォーカー軍曹、火炎放射器の燃料が切れそうです。急いで補充タンクを持ってきてください。」

「分かった。スパーン。ダンに補充タンクを持っていけ。」

ウォーカー軍曹は観客席の中段にいる防火服の兵士に照明塔に登ろうとして動かなくなったミスターN・Hの様子を調べるように指示を出した。

身体が縮小したミスターN・Hは凝固したように動かなくなっていた。ミスターN・Hが凝固していると報告を受けたウォーカー軍曹は観客席の最上段に行き、ダンに火炎放射を中断させて、動かなくなったミスターN・Hを下のトレーラーの格納庫に運ぶ指揮を取った。

「ミラー、モーガン、マーフィー。動かなくなっているミスターN・Hを照明塔から引き離してトレーラーまで運べ。温度が下がったら動き出すはずだから急いでやれ。」

ウォーカー軍曹の指令でミスターN・Hに接近したミラー、モーガン、マーフィーは照明塔の鉄製の梯子を掴んでいるミスターN・Hの手を引き離しにかかった。しかし、凝固したミスターN・Hの手はダイヤモンドのように硬く人間の力では引き離すことが出来なかった。

「ウォーカー軍曹。ミスターN・Hの体はダイヤモンドのように硬くて照明塔から離すことは出来ません。」

「くそ。」

一難去ってまた一難の状況にウォーカー軍曹はくやしがった。

「ケイン隊長。ミスターN・Hが照明塔を掴んでいる手を離すことができません。どうしますか。」

ウォーカー軍曹はケイン隊長に無線電話をしてケイン隊長の指示を仰いだ。

「ミスターN・Hの動きはどのような様子なのだ。」

「はい。ダイヤモンドのように固まって動きません。」

「それではカッター機を準備する。ミスターN・Hが掴んでいる箇所の周りをカットしろ。カッター機が到着するまでダンにミスターN・Hが動き出さないように火炎を放射させろ。」

「分かりました。」

ダンは断続的にミスターN・Hに火炎を放射した。やがてカッター機を持ったフラー兵士が到着した。防護服のミラーがカッター機をフラーから受け取りカッター機のエンジンを起こした。白煙がカッター機の筒から勢いよく出てググググーンと甲高いエンジン音が鳴り、カッターが勢いよく回転した。ミラーがミスターN・Hの掴んでいる照明塔の橋桁にカッターを押し付けるとガガガガと橋桁が叫び勢いよく火の粉が飛び散った。

「ミラー。急げ。」

ウォーカー軍曹がミラーを叱咤した。

その時、照明塔の一帯が轟音とともに真っ白な閃光に覆われた。カミナリが照明塔に落ちたのだ。カッター機を掴んでいたフラーの体に青白い光線が走り、フラーは後方に突き放されるように倒れた。火炎放射器を構えていたダンもその場に倒れた。十メートル離れていたウォーカー軍曹と三人の部下が立っていた場所にも青白い光線が走り、ウォーカー軍曹と三人の部下はその場に倒れた。


落雷で野球場全体が眩しい光に追われた瞬間の後、野球場の照明が消えて野球場は暗闇に覆われた。

「ウォーカー軍曹。どうした。返事をしろ。ウォーカー軍曹。」

ケイン隊長が無線で呼んでもウォーカー軍曹の返事はなかった。グランドも観客席も闇に覆われた。

「サーチライトを準備しろ。」

部下にサーチライトの準備を指示するとケイン隊長は部下を連れて連絡が途絶えたウォーカー軍曹のいる三塁観客席に向かった。三塁側の壁に来るとトレーラーの荷台に飛び乗り、トレーラーの荷台から三塁観客席に移った。

「ウォーカー軍曹。」

と呼ぶと観客席の上から、

「ケイン隊長。」

と声が聞こえたので、ケイン隊長は観客席を上がった。ウォーカー軍曹は倒れていた。

「ウォーカー軍曹は大丈夫か。」

「気を失っています。動きません。」

ケイン隊長はウォーカー軍曹の首に触れ脈を探

った。

「脈が弱い。ロン。救急隊を呼べ。」

ロンに指示するとケイン隊長は急いでベンの所に移動した。二人の防火服の兵士がベンを介抱していた。防火服の隊員も激しい落雷でベンの近くまで吹き飛ばされてコンクリートの床に叩きつけられ頭や肩を押さえていた。

「ベンは無事か。」

「気を失っています。動きません。」

ベンは倒れた時に頭をコンクリートに強打して気を失っていた。

「もう少しで救急隊が来る。ダンを下の方に運べ。ミスターN・Hはまだ照明塔にへばりついたままか。」

防火服の兵士は顔を見合わした。

「分かりません。落雷の時に私達は吹き飛ばされたのでミスターN・Hのことは分かりません。」

ケイン隊長は照明塔を見た。ミスターN・Hが居た場所は暗くてミスターN・Hの存在を確認することができない。ケイン隊長は身を屈めながら照明塔にゆっくりと近づいた。照明塔の数メートルまで移動したがミスターN・Hの姿を確認することが出来なかった。ミスターN・Hは消えていた。ケイン隊長は照明塔を見上げた。照明塔の上にもミスターN・Hの姿は見えなかった。観客席を見回したがミスターN・Hの姿を見つけることはできない。

観客席にサーチライトの光が当たり明るくなった。

「ミスターN・Hが消えた。サーチライトで他の所を照らしてミスターN・Hを探してくれ。私の所にも十人の応援を寄越してくれ。それに火炎放射器を操作できる奴も寄越してくれ。ダンは気を失ってしまった。」

ケイン隊長は無線で指示してから部下と一緒にミスターN・Hを探した。観客席の通路に隠れているかも知れない。ケイン隊長は部下に観客席をしらみつぶしに探すことを指示し自分も最上階の通路から一段づつ探して歩いた。しかし、ミスターN・Hの姿を見つけることはできない。動きが鈍くなっていたミスターN・Hが遠くに逃げたとは考えられない。ケイン隊長はミスターN・Hがカミナリの高圧な電圧で消滅したこともあり得ると考えた。照明塔の方に戻り、ミスターN・

Hが立っていた照明塔や近くの床を調べた。しかし、ミスターN・Hがカミナリで焦げた痕跡は見当たらない。ケイン隊長の淡い期待は裏切られた。

「ピート。ミスターN・Hは見付かったか。」

「見付かりません。」

ケイン隊長はカミナリが落ちた時、ミスターN・Hがカミナリのショックで重症を負い、瀕死の状態になると思った。しかし、瀕死の状態になるどころかミスターN・Hは消えてしまった。ミスターN・Hが空を飛べるとは考えられない。人間の姿をしたミスターN・Hは走る速さも人間並みであって超人的な速さではなかった。ミスターN・Hが消えた原因は球場内のどこかに隠れたか球場外に飛び降りたかの二通りしか考えられない。それとも、カミナリの性で消滅したのだろうか。消滅したらのならケイン隊長にとってうれしいことではあるがミスターN・Hがカミナリの性で消滅するだろうか。ミスターN・Hがカミナリで消滅したことを期待しながらケイン隊長はミスターN・Hを探した。

もし、ミスターN・Hが三塁側の観客席から飛び降りたのなら下で警戒している兵士が気づく筈である。ケイン隊長は外で警戒している兵士に確かめるように指示した。

「カミナリが落ちた直後にここから下に落ちた者があったか確かめてくれ。そして、三塁側一帯を詳しく捜索してくれ。」

ケイン隊長は観客席の中段に戻り再び観客席の中の操作を始めた。応援に駆けつけた隊員にも球場の観客席の捜索をするように指示した。

「ハンクスです。ダンの変わりに火炎放射器を扱うように命令されて来ました。」

「上の方に火炎放射器は置いてある。壊れていないか確かめてからいつでも火炎放射ができる準備をしてくれ。」

「分かりました。」

ハンクスは階段を上っていった。

ケイン隊長は観客席の通路を探していると足元に妙な感触を感じた。軍靴で踏んでいる床がコンクリートにしては弾力がある。床を見下ろしたがサーチライトの光りを客席がさえぎり床は暗かった。床にゴムのカーペットが敷いてあるようだ。野球場の観客席の一部にゴムのカーペットを敷くのは変である。ケイン隊長は再度踵を押し付けて足を回転させた。すると弾力は縮むどころか逆に厚くなった。不吉な予感がした。ケイン隊長は固い軍靴の踵で弾力のある床を思いっきり蹴った。ヘビの類いならまっ二つに裂いてしまう程の強烈な蹴りであったが床の弾力はケイン隊長の蹴りを跳ね返した。床の弾力とミスターN・Hが消えた原因とどのような因果関係があるのかどうかは推測できなかったが、奇妙な床の弾力がミスターN・Hが消えたこととなんらかの関係があるに違いないと考えざるを得なかった。ケイン隊長は床を手で触るかどうか迷った。しかし、軍靴の底で床の弾力の正体を感知するのは困難だ。気味悪いがケイン隊長は手で床の弾力に触れる決心をして腰を屈めた。その時、床の弾力が早いスピードで上の方に移動したので反動でケイン隊長は観客席の上に倒れてしまった。急いで体勢を立て直して上の方を見ると二つ隔てた観客席の影から黒い物体が盛り上った。盛り上った黒い物体は達磨のような姿になり、首の部分が細くなって頭と胴体に別れ、手や足が延びて二メートルの大男の姿になった。

「みんな、こっちを見ろ。」

ケイン隊長は大声で叫んだ。黒い大男は観客席を跨いで上の方に歩いていく。ケイン隊長は拳銃を抜いて黒い大男を撃った。一発二発三発四発と連射したが黒い大男は何事もないように歩いていく。

「ハンクス。」

ケイン隊長は大声で火炎放射器を持っているハンクスを呼んだ。

「は、はい。」

ミスターN・Hの突然の登場に驚き慌てふためいたハンクスの返事が聞えた。

「ミスターN・Hに火炎を放て。」

「は、はい。しかし、隊長にも火炎が当たる恐れがあります。早く移動して下さい。」

ケイン隊長は急いで移動した。黒い大男は観客席の最上段に向かって歩いた。火炎放射器を構えようとしていたハンクスはサーチライトを後ろから照らされた二メートルもある黒い化け物がどんどん自分の方に接近して来る姿が実物よりも数倍の大きさに感じ、その大きい黒い姿に恐怖した。火炎放射器を構えることを忘れて後ずさりをした。ミスターN・Hは階段を上ると照明塔に向かって歩いた。

「ハンクス。火炎をミスターN・Hに発射しろ。」

ケイン隊長の威圧ある声にハンクスは気を取り直し火炎放射器を構えるとミスターN・Hに向けて火炎を放射した。

「ハンクス。もっと接近しろ。」

ケイン隊長の命令にハンクスは少しずつミスターN・Hに接近した。炎を浴びながらミスターN・Hは照明塔に登り始めた。

「ハンクス。もっと接近しろ。」

ケイン隊長の叱咤にハンクスは前進するが、恐怖に足が震えてわずかしか前進できなかった。ケイン隊長はハンクスの側に来た。

「ハンクス。もっと前進しろ。こんなに離れていたのでは火炎放射の効果はない。」

ケイン隊長が側に来たのでハンクスにミスターN・Hに接近する勇気が出てきた。ハンクスは火炎を放射しながら照明塔に接近した。

　ミスターN・Hは火炎を浴びながらゆっくりと照明塔を登り続けた。火炎放射を浴びせられて動きは鈍くなっていったが、照明塔を上り続け頂上に到達した。

「ハンクス。火炎放射を止めろ。これだけ距離が離れては火炎の効果はない。それに日本の公共物を破壊すると後でやっかいな政治問題が発生するかも知れない。」

ケイン隊長にとってくやしいことであるが照明塔の頂上にたどり着いたミスターN・Hに火炎放射するのは断念せざるを得なかった。頂上に上ったミスターN・Hに攻撃を仕掛けることができなくなったケイン隊長は悔しがった。どうすればミスターN・Hを照明塔から下ろすことができるか。ケイン隊長は思案した。

　数個のサーチライトに照らされた照明塔に立つミスターN・Hはまるでエンパイヤーステイトビルに登ったキングコングのようである。しかし、キングコングのように派手な動きもなければ美女と野獣のドラマもない。ミスターN・Hは無言で照明塔のてっぺんに立っているだけである。雨は止み、雲は去り、空には星が見えるようになっていた。

　なす術がなくなったケイン隊長は司令部に直ぐに電話するかどうか迷った。ケイン隊長は三十分以内でミスターN・Hを処理すると司令部に言ったが、約束した三十分を過ぎてしまったのに事態は最悪でミスターN・Hを捕獲する可能性が無くなった。ケイン隊長は悔しい思いをしながら司令部に連絡する決心をした。

ケイン隊長が照明塔の頂に立っているミスターN・Hを眺めながら司令部に電話しようとした時、ミスターN・Hに異変が起こった。ケイン隊長は電話をするのを止めて照明塔の頂上に立って変形していくミスターN・Hを見詰めた。ミスターN・Hの体は縦に伸び始めた。人間の姿から棒状になり、棒の先端が縄のようになって空中に延びていった。縄の先端は次第に扇のようにひろがり扇の姿が五メートル十メートルと次第に大きくなっていった。不思議な光景にケイン隊長はあっけに取られて見ているだけだった。扇の姿は二十メートル三十メートルと広がり、ミスターN・Hの体が全て扇になると扇の根元も広がり扇形から多角形の絨毯の姿になり、絨毯はエイのひれのように波運動をやって、照明塔から離れて空中に浮いた。ミスターN・Hが変形した絨毯はどんどん大きくなり直径が五十メートル以上に広がった。

ケイン隊長は我に帰り、ミスターN・Hに機銃を撃つように命じた。サーチライトは一斉に照明塔の上に浮かんでいる黒い絨毯を照らした。三つの機関銃が一斉に火を吹いた。無数の小さい火の玉は直径が五十メートル以上に広がった黒い絨毯に目指して飛んでいく。ケイン隊長は機関銃の銃弾が黒い絨毯に無数の風穴を開け、地上に落ちてくることを期待した。しかし、波のようにうごめいている黒い絨毯は柔軟ながらも強靭であり銃弾で風穴を開けることができなかった。銃弾が当たった場所はグーンとこぶを作り銃弾の勢いは絨毯を上に押し上げた。黒い絨毯は上昇しながら風に流され野球場の内野の上空に流れてきた。ふわふわと波打つ絨毯は鳥の羽のように空気を上から下へと抱え込んで自力で上昇する能力もあり、機関銃の弾丸、サーチライトの光熱も飛翔のエネルギーにして上昇していく。十メートル二十メートル三十メートル四十メートル・・・・・・百メートル二百メートルと黒い絨毯は上昇を続け、球場から次第に遠ざかっていった。機関銃の弾丸は届かなくなり、サーチライトの光りも届かなくなる高さまで黒い絨毯は上昇を続け、風に流され、球場に立つケイン隊長の視覚から消えていった。

「隊長。ヘリコプターの出動を要請しますか。」

放心状態のケイン隊長は我に帰り、

「そうだな。・・・・いや、止めよう。我々は特殊任務の仕事をしているし、ミスターN・Hの情報を他の軍部に漏らすわけにはいかない。」

ケイン隊長は苦笑した。

「それに空中に浮いている黒い絨毯を探す理由でヘリコブターの緊急出動を要請できると思うか。笑われるだけだ。UFOを探すためにヘリコプターを飛ばせと要請するより笑いものにされる。司令部に報告して、後は司令部の判断に任せる。とにもかくにも我々の目の前から化け物は消えたのだから我々の任務は終わった。日本の民間地域に長居はできない。早く撤収しよう。ロイ・ハワードを呼んでくれ。」

苦虫を潰した顔のロイ・ハワードがやってきた。

「ロイ。私達は撤収する。後始末と情報操作は君たちの専門だ。日本の警察やマスコミにはここで起こったことをうまく隠してくれ。それにこの野球場を出入り禁止にして急いで復旧作業をすることだな。後はお前達に任せる。」

そう言うと、ケイン隊長はロイ・ハワードの返事を聞かずに去っていった。


翌日の夕刊にはアメリカ軍の軍事物資を積んだ大型トレーラーが横転してコザシティー野球場付近が通行止めになったことと、野球場の中で十名近くのホームレスが酔って暴れて野球場に火を点けたり公共物を破壊したことが掲載された。野球場は補修のために一週間は使用禁止になると説明されていた。


啓四郎と仲里は野球場の事件の一部始終を外野席に隠れて見物していたが、ミスターN・Hが空飛ぶ絨毯になって空の彼方に消えたので野球場を出てそれぞれの家に帰った。

五日後の正午。仲里はいつものように駄菓子屋ほうれんそうで店の準備をしていた。仕入れてきたお菓子を棚に入れ、散らかったコミックを棚に戻し、床を掃き、店前を掃き、トイレを掃除して、シャーベット機にマウンティーデューを入れ、冷水を入れてスイッチを入れた後、オンボロなソフアーに座って休憩する頃には午後二時になっていた。午後三時には小学生がどっと店に押し寄せてお菓子やシャーベットがどんどん売れた。小学生の群れを掻き分けて啓四郎が入ってきた。

「よお。繁盛しているな。」

「お前の部屋に何度も行ったがお前は居なかった。」

「ああ、あれから性質の悪い風を引いてしまってな。入院していた。今日退院したんだ。」

元気のない啓四郎はソファーに腰を下ろした。

「ロイ・ハワードやチャン・ミーの仲間がお前を見張っている様子はあるか。」

「ううん、はっきりとは断定はできないが、見張られている感じは全然ない。彼らは暫くは反省会をやって僕たちを見張ることはしないのじゃないのかな。ミスターN・Hが居なくなったのだから僕達を捕まえる理由もないだろう。」

仲里は他人事のように言いながらシャーベットにマウンテンティーデューと冷水を入れた。

「そうであることを願うよ。」

「シャーベットを食べるか。」

「いやいい。水をくれ。」

仲里は冷蔵庫を開け、水の入ったペットボトルを出してシャーベットを入れるプラスチックコップに水を注いで啓四郎に渡しながら啓四郎の側に座った。小学生が居なくなった。仲里はいつものようににこにこ笑いながら、

「おもしろいものを見せよう。」

と言って壁のコンセントの蓋を開けた。

「見ていろよ。」

と言うと仲里は人差し指と中指をカバーを外したコンセントの二つの銅版に押し当てた。感電するはずの仲里が平気な顔をしている。啓四郎はコンセントに電気が流れていないのだろうと驚きはしなかった。すると仲里は左手で啓四郎の腕を掴んだ。啓四郎の体にビリビリと電気が走り、啓四郎を悲鳴を上げると後ろにのけぞった。

「一体どうしたのだ。お前は電気人間になったのか。」

仲里はにこにこ笑いながら、

「次は手品を見せよう。」

と言って裏戸に使用している南京錠を出して鍵を入れて啓四郎に渡した。

「鍵は壊れていない。確かめて。」

啓四郎は南京錠を手に持ち、鍵を引っ張ったがびくともしなかった。仲里は啓四郎から南京錠を取り、布巾に使っている手拭いを被せるとちちんぷいぷいと言いながら両手で南京錠をいじくった。

「ほら、見てみろ。」

手拭いを取り払って啓四郎に翳した南京錠の鍵が外れていた。しかし、中年の男が鍵外しの手品を見せられて驚くことはない。啓四郎は苦笑いをした。

「そんな手品は見なくていいよ。それより電気に触れても平気なことが気になる。お前は電気人間になったのか。」

仲里は啓四郎の質問を無視して、

「鍵外しのネタを見ればお前もびっくりする。どうだ見たいか。」

「鍵外しのネタはいいよ。俺が手品師になるわけでもないしな。」

仲里は啓四郎の返事を無視して、

「いいか、見ていろよ。」

と言うと鍵が入った南京錠を翳して、鍵穴に右手の人差し指を当てた。

「ちゃんと見ろよ。」

仲里の真剣な顔に啓四郎は南京錠を凝視した。すると仲里の人差し指の先端が小さな鍵穴に入っていった。人差し指の半分が鍵穴の中に入った時、

「いいか、見ていろよ。」

と仲里は言って人差し指を回転させた。すると南京錠はカチっと金属音を出して鍵が外れた。啓四郎は呆気に取られて、

「お前、その指は・・・・・」

「へへへへへへ。見ての通り種も仕掛けもないよ。」

「その指はどうなっているのだ。電気のことといい。お前の体になにが起こっているのだ。」

仲里は首を傾げて、

「僕にも分からない。多分、カミナリが落ちてミスターN・Hに覆われた時にミスターN・Hの遺伝子のようなものが僕の体に移ったのだろう。」

「体は大丈夫なのか。」

「以前より健康になった気がする。」

啓四郎は顔を曇らせた。

「ていが強靭なアメリカ人を投げ飛ばすことができたのもミスターN・Hの遺伝子が仲里に移った性なのか。」

「そうだろうな。ボクは体力はなかった方だから。」

「もしかするとていはミスターN・Hのようになっていくのじゃないのか。」

「そうなるかも知れないしそうはならないかも知れない。」

と仲里はにこにこしながら言った。


啓四郎と仲里がミスターN・Hやコザシティー野球場の事件の話をとりとめもなく続けている内に中学生がどどーっと入ってきて駄菓子屋ほうれんそうは市場のように賑やかになった。仲里は忙しくシャーベットを売り捌いている。当分の間は仲里は忙しい。仲里の不思議な体についてはは仲里の仕事が終わってからスナックで酒を飲みながら聞くことにした。啓四郎は仲里とスナックで会う約束をしてソファーから立ち上がって外に出て行こうとした時、店の入り口からいい香りがしてきた。この香りがした瞬間に自然と頭に浮かぶ美しいしかし危険な毒が一杯の女性チャン・ミーの姿が啓四郎の頭に浮かんだ瞬間、

「今日は。仲里さん。啓四郎さん。」

という声と一緒にチャン・ミーの実物が啓四郎の眼前に立った。チャン・ミーを見た瞬間に啓四郎は恐怖して逃げようとしたが出口はチャン・ミーに塞がれていて逃げ場はなく後ずさりした。シャーベットを入れようとしていた仲里は唖然として動きが止まった。中学生はチャン・ミーの艶やかなチャイナ服に見とれて「きれい。」とか「超すごい。」とか言って騒いでいた。チャン・ミーが現れた理由はひとつしか考えられない。仲間を連れて啓四郎と仲里を捉えに来たのだ。

「どうしたのお二人さん。そんなにびっくりすることはないですわ。」

チャン・ミーは微笑みながら言った。しかし、チャン・ミーが微笑んでも啓四郎と仲里は顔を強張らせていた。裏口があるが突然の美しく毒のあるチャン・ミーの出現に啓四郎は驚き裏口から逃げることを忘れていた。チャン・ミーを押し倒してでも逃げなくてはと思いながらも啓四郎の体は硬直して動けなかった。

「私も中に入っていいかしら。」

と言いながらチャン・ミーは啓四郎に近づいてきた。啓四郎はソファーの所まで後ずさりした。チ

ヤン・ミーはカウンターの中に入って来た。

「心配しないで。あなた達を誘拐しに来たのではないわ。この前助けてくれたお礼と、お二人に朗報を持ってきたのよ。」

啓四郎と仲里はほっとした。

「私たちのグループは本国に帰るわ。仲間の何名かは敵に捕まったし私達の正体が敵国に知られてしまったから沖縄で活動することができなくなったの。例の黒い大男さんが消えてしまったからあなた達を捕まえる理由もなくなったの。だから、あなた達は安心な生活ができるわ。ロイ・ハワードのグループも帰国することになったわ。アメリカも例の黒い大男さんの調査を打ち切ったらしいわ。だから仲里さんと啓四郎さんはロイ・ハワードのグループに狙われる心配もなくなったわ。」

チャン・ミーの言葉を簡単に信じるわけにはいかない。チャン・ミーの言っていることが本当かどうかを確かめるためにチャン・ミーに質問をしたかったが緊張して喉が遣えて言葉が出ない。啓四郎と仲里は体が強張って黙ってチャン・ミーを見ていた。

「ねえ、私を助けたお礼にお二人をスナックシャンハイに招待するわ。今夜は私と一緒にお酒を飲みましょう。うーんとサービスをするわ。」

チャン・ミーは誘うようにウィンクをした。仲里と啓四郎はチャン・ミーのウィンクに恐怖し後ずさりした。

「宮里さん啓四郎さん。私がうんとサービスをするわよ。」

チャン・ミーは甘い声で言った。

「いえ、けっこうです。」

血の気が引いた啓四郎と仲里が同時に答えた。

「そう、残念だわ。もう二度と会わないと思うけど、仲里さん啓四郎さん。お元気で。ごきげんよう。」

チャン・ミーはほうれんそうから出ていった。仲里と啓四郎はシャーベットを注文する生徒やお菓子を買う生徒を無視して恐る恐る店の前に出た。店の前にはお菓子を食べながらたむろしている中学生が五人いるだけでチャン・ミーの仲間らしい人物は一人も居なかった。チャン・ミーはゆっくりと通りを歩いている。啓四郎と仲里は呆然とチャン・ミーを眺めていたが、チャン・ミーは振り返って啓四郎と仲里の姿を見ると手を振った。啓四郎と仲里は思わず身を隠そうとしたが姿を見られてしまってから隠れるというのは無様である。啓四郎と仲里は手を振った。

「美人だったなあ。」

「ああ、スパイでなければよかったのに。」

啓四郎が言うと、

「それは違うな。あんなに美人で頭もいい女性が仲ノ町のスナックで働くはずがない。スパイでなかったらエリート官僚になっていたはずだ。スパイだったから僕達と同じ席に着いたのだ。チャン・ミーがスパイだったから会えたのだ。チャン・ミーがスパイであったことに感謝しなければな。」

仲里の変な理屈に啓四郎は苦笑いした。

「それにしても、がっぱいや諸味里やたっちゅうは事故死なのかそれともチャン・ミーのグループかそれともトム・ハワードのグループが殺したのか分からずじまいだ。昭光はまだ行方不明だ。じょうさんも本土に逃げたのかそれとも彼らに捕まったのかはっきりしない。チャン・ミーに聞けばよかった。」

「聞いたところで死んでしまった人間が生き返るわけではないし。無理して聞く必要はない。昭光やじょうさんもどこかで生きている筈だよ。」

仲里は他人事のように言い、

「それより僕達を捕まえないことになったということは本当だろうか。チャン・ミーの言ったことを信じていいだろうか。」

とチャン・ミーが言ったことの真偽を気にした。

「チャン・ミーがひとりで来たことから考えると本当かも知れない。」

「もし本当ならチャン・ミーとスナックシャンハイに行きたかったな。あんなに綺麗であんなに頭がいい女性には二度と会えないかも知れない。」

「勿体ないことをした。」

「ああ、勿体ないことをした。」

啓四郎はチャン・ミーの予期しなかった突然の登場で極度に神経が緊張した。その疲れがどっと出てアパートに帰る気がなくなった。今夜は仲里と一緒に仲ノ町のスナックでどんちゃん騒ぎをすることにしよう。啓四郎はアパートに帰らないで、ほうれんそうのソファーに座わり忙しく動き回る仲里ととりとめの話をしながら時間を潰した。

午後八時には中学生の姿は減り、仲里も暇になった。

「お前の体はどうなっていくのだろう。なぜ電気に触れても平気なのだ。お前の体は電気の絶縁体になったのか。」

「絶縁体になったら電気を通さない。その逆だ。電気を体の中に蓄積できるようになった。ミスターN・Hも電気をエネルギーにしているのだろう。」

「電気を蓄積するということは体がバッテリーになったということか。」

「ううん、そういうことになるのだろうな。しかし、現代の科学では不可能であるけどね。とにかく電気が蓄積できるようになった。」

「指が鍵穴に入るのはなぜだ。」

「指が自由に変形するようになった。」

「え、本当か。」

「ああ。」

「信じられない。それじゃ指を小鳥の形にしてみろ。」

「それはできない。鍵穴とか形のあるものに押し付けて変形することができるだけだ。」

「それでもすごいことだ。お前、自分の体を研究して論文を書けよ。有名になれるぜ。」

「研究するには大学の研究室が必要だ。」

「大学に戻ればいいよ。」

「有名にはなりたくないし、大学は嫌だ。大学に居ると精神がおかしくなる。僕は今の生活がいい。余生をのんびりと楽しく過ごすのがいい。」

啓四郎と仲里に平穏な生活が戻ってきたようだ。

終わり

２０２１年１月発行
沖縄 日本 アジア 世界 内なる民主主義２５
定価１２９５円(消費税抜き)

編集・発行者 又吉康隆
発行所 ヒジャイ出版
〒 ９０４ｰ０３１３
沖縄県中頭郡読谷村字大湾７７２ー３
電話 ０９８ー９５６ー１３２０
印刷所 印刷通販プリントパック
ISBN978-4-905100-38-6
C0036

著作 又吉康隆
１９４８年４月２日生まれ。沖縄県読谷村出身。

県内取次店
沖縄教販
ＴＥＬ ０９８-８６８-４１７０
ＦＡＸ ０９８-８６１-５４９９
本土取次店
(株)地方小出版流通センター
ＴＥＬ ０３-３２６０-０３５５
ＦＡＸ ０３-３２３５-６１８２